4ª reimpresión, 2008

Depósito Legal: M-49439-2008
ISBN: 978-84-8141-033-4

Editoras/Verlegerinnen: Michaela Hueber, Sophie Caesar
Redacción/Redaktion: Christiane Seuthe, Sophie Caesar
Maquetación/Lay-Out/: Mario Guindel
Ilustraciones/Zeichnungen: August Alain Miret
Diseño cubierta/Umschlaggestaltung: Jörg Tatter, Conny Schmitz

Impresión/Druck: Javelcom Gráfica, S.L.
Producción/Produktion CD: CD-Duplisystem, S.L.

Die Blaumacherin

Verlieren

Samstagabend, 23 Uhr
Ich gehe ins Bett und möchte noch lesen. Mein neues Buch. Ein Freund hat es mir geschenkt. Ich habe es schon angefangen, total spannend.
Aber wo ist es? Es liegt nicht auf dem Nachttisch. Ich stehe auf und suche. Auf dem Schreibtisch ist es auch nicht. Und auch nicht im Regal. So was! Na ja, egal, ich nehme ein anderes Buch, Erzählungen von Kafka, und gehe wieder ins Bett. Ich lese ein paar Seiten von ‚Die Verwandlung', aber ich kann mich nicht konzentrieren. Ich mache das Licht aus.

23 Uhr 15
Ich kann nicht einschlafen. Wo ist das Buch? Vorgestern hatte ich es doch noch. Ich habe es hier gelesen, zu Hause, nicht in der U-Bahn, nicht im Park. Ganz sicher. Komisch.

23 Uhr 45
Ich kann immer noch nicht einschlafen. Wie heißt das Buch? Ich erinnere mich nicht mehr. Irgendwas mit ‚Geschichten', glaube ich, aber was für ‚Geschichten'? Und der Autor? Auch seinen Namen habe ich vergessen. Ein Südamerikaner, Kurzgeschichten, und auf dem Titelbild ein grünes Krokodil, das weiß ich noch. Der Rest ist weg. Es ist wie verhext!

Sonntagmorgen, 2 Uhr 28
Ich wache plötzlich auf. Da ist etwas in meinem Bett, direkt vor meiner Nase. Ein dunkles Ding. Ich taste vorsichtig mit der Hand. Fest, glatt, kantig. Ach so, nur ein Buch. Ich drehe mich um und mache die Augen wieder zu.

2 Uhr 31

Augenblick mal! Ein Buch? Das Buch ist wieder da!
Ich setze mich auf und mache das Licht an und ... Nein, kein
grünes Krokodil, nur wieder dieser Kafka. Ich nehme das Buch
und knalle es auf den Nachttisch.

7 Uhr 12

Ich wache früh auf. Kurz nach sieben. Zu früh für
Sonntagmorgen. Aber ich weiß plötzlich, wo das Buch ist.
Gestern habe ich Tennis gespielt und für die Busfahrt habe ich
noch schnell ein Buch in die Sporttasche gesteckt. Der Bus war
aber sehr voll, ich musste stehen und konnte nicht lesen. Das
Buch muss noch in der Tasche sein.

7 Uhr 20

Ich stehe auf, gehe zu der Tasche und leere sie aus. Ganz unten
ist tatsächlich ein Buch. Ein grünes Krokodil. Na also, der Tag
fängt ja gut an. Ich will das Buch aufs Bett werfen. Das Buch
fliegt durchs Zimmer, es fliegt gegen die Wand, fällt auf das
Kopfkissen und rutscht auf den Boden.
Ich gehe kurz ins Bad und mache den Boiler an. So kann ich
nachher gleich duschen. In der Küche trinke ich ein Glas Milch.
Dann gehe ich ins Bett zurück.
Gleich ein paar Seiten lesen? Später, beschließe ich, jetzt noch
ein bisschen weiterschlafen, vielleicht träume ich noch etwas
Schönes.

9 Uhr 50

Die Sonne scheint durchs Fenster. Wunderbar! Ein neuer Tag,
ein Tag voll großartiger Möglichkeiten!
Also, zuerst eine schöne Geschichte. Ich nehme das Buch vom
Nachttisch und schlage es auf. Wie? Was? Wieso ‚Verwandlung‘?

Verdammt! Schon wieder dieser Kafka!
Aber wo ist jetzt mein ..., Mensch, wie heißt er denn nun? Und
wo ist er? Ach ja! Ich beuge mich vor und suche auf dem
Boden. Aber da ist er nicht mehr. Ich suche im Bett und unter
dem Bett. Kein Krokodil.
Und den Namen habe ich mir auch nicht gemerkt.

9 Uhr 55
Habe ich vorhin nur geträumt? Das mit der Tasche und mit
dem Buch?
Die Tasche liegt mitten im Zimmer, Tennisschuhe und
Handtuch auch. Gut, das heißt noch nicht viel. Aber der Boiler
im Bad ist an. Also bin ich vorhin wirklich aufgestanden. Das
Buch muss irgendwo sein.

10 Uhr 12
Jetzt beginne ich wie ein Verrückter zu suchen. Ich krame
immer wieder in der Tasche, suche dann im Bett und unter
dem Bett. Zwischendurch glotze ich auf den Nachttisch und auf
den Boden vor dem Bett. Schließlich krame ich wieder in der
Tasche. Zum Glück sieht mich niemand.

10 Uhr 30
Ich suche immer noch. Ich suche jetzt auch im Bad und in der
Küche. Vielleicht habe ich das Buch ja im Halbschlaf irgendwo-
hin gelegt. Ich schaue auf dem Boiler nach, zwischen den
Handtüchern auf dem Fensterbrett und in der Kiste auf dem
Kühlschrank. Nichts.

10 Uhr 42
Immer noch glaube ich fest: Gleich finde ich es. Gleich sage ich:
„Da ist es ja! Mein Gott, natürlich!", und der Spuk ist zu Ende.

Aber ich finde es nicht.

10 Uhr 54
Ein Fensterbrett, eine Kiste auf dem Kühlschrank, das sind irgendwie akzeptable Orte für ein Buch. Ein bisschen komisch, aber das kann passieren, früh am Morgen, wenn man verschlafen durch die Wohnung tappt. Man wundert sich ein bisschen und freut sich dann, dass das Buch wieder da ist.

10 Uhr 58
Aber was, wenn das Buch auch dort nicht ist?

11 Uhr 02
Es gibt noch die anderen Orte. Dort, wo es eigentlich nicht sein kann.

11 Uhr 10
Ich weiß, das kann man eigentlich niemandem erzählen. Aber ich suche jetzt auch dort. An den unmöglichen Orten.
Ich suche jetzt auch im Kleiderschrank und in meinen Jackentaschen, ich schaue in die Sockenschublade und hinter den Schreibtisch und ... ja wirklich, auch vor die Wohnungstür.

11 Uhr 11
Warum? Keine Ahnung.

11 Uhr 13
Ich beginne mich zu fragen: Was, wenn das verdammte Buch nun wirklich im Kleiderschrank ist? Oder in der Schublade? Soll ich mich dann immer noch freuen, oder muss ich schon erschrecken? Über das Buch und über mich selbst. Wo endet die Freude und wo fängt der Horror an?

11 Uhr 20
Ich glaube, es gibt keine gute Lösung mehr.

11 Uhr 32
Ach was, manchmal genügt es bei einem Problem ja, einfach drüber zu schlafen. Am nächsten Tag wacht man auf und sieht wieder völlig klar. Aber es ist jetzt Vormittag, ich bin hellwach und fast der ganze Sonntag liegt noch vor mir.

Wochen später
Ich habe das Buch nie mehr gefunden.
Ich habe es auch nicht nochmal gekauft. Ich erinnere mich ja nicht mehr an den Titel, und an den Namen des Autors auch nicht. Ich weiß, ich kann den Freund anrufen, der es mir geschenkt hat. Ich kann ihn fragen. Aber ich will nicht mehr. Das Buch ist weg. Basta.
Ich muss oft an die Sache denken, sie irritiert mich. Ich träume sogar davon. Aber ich glaube trotzdem, es ist besser so. Besser, als eines Tages zu entdecken, dass man jemand ist, der an einem Sonntagmorgen ein wiedergefundenes Buch im Kühlschrank liegen lässt.

Entscheidung am Strand

War es mein Fehler? Wahrscheinlich. Ich wohne schon ein paar Jahre hier, ich muss das wissen. Man denkt, es ist so einfach: junge Leute, ein freies Wochenende, ein Ausflug, na klar ... und dann ... na ja, vielleicht war es wirklich mein Fehler.

Der Plan ist gut: Núria und Quim wollen am Samstag an die Costa Brava fahren. Und dann weiter in ihr Dorf bei Olot. Ich fahre mit. Wir essen zusammen, gehen an den Strand und abends fahre ich mit dem Zug zurück nach Barcelona.
Eigentlich ganz einfach.
Dann habe ich diese Idee. Können wir vielleicht meine Bekannten mitnehmen? Karin und Harald? Die sind neu hier, haben kein Auto und nicht viel Geld. Und wir haben noch Platz für zwei.
Warum nicht, sagt Quim, bring sie mit. Um zwölf Uhr, Ecke Diagonal mit Gràcia.

Im Grunde haben hier die Probleme schon begonnen. Ich rufe Karin und Harald an. Sie freuen sich, sie haben Zeit, sie wollen mitkommen, zusammen picknicken, zusammen am Strand wandern. Aber sie wundern sich: Zwölf Uhr finden sie sehr spät für einen Tagesausflug. Zwölf Uhr, warum nicht neun, warum nicht zehn? Ich zucke mit den Schultern.

Am Samstag wundern sie sich weiter. Wir warten oben an der Diagonal. Zwölf Uhr ist spät, aber Núria und Quim sind um zwanzig nach zwölf immer noch nicht da. Harald schaut ständig auf die Uhr und schüttelt den Kopf. Lohnt sich das überhaupt noch? Núria und Quim kommen um halb eins, man begrüßt sich freundlich.

Die Sonne scheint.
Alles wird gut, denke ich noch.

Aber im Auto wundern sich Harald und Karin schon wieder.
Quim will bis nach Cadaqués fahren. Das sind fast zweihundert
Kilometer. Harald rechnet. Das sind über zwei Stunden Fahrt.
Das heißt, wir sind frühestens um drei Uhr dort. Um sechs Uhr
wird es schon wieder dunkel.
Warum Cadaqués?, fragt er mich leise und auf Deutsch.
Cadaqués ist sehr schön, sage ich kurz.
Aber es ist zu weit, flüstert Harald, wir wollen doch wandern
und picknicken.
Am Himmel gibt es plötzlich Wolken.

Sag mal, frage ich Quim, ist Cadaqués nicht ein bisschen weit?
Es wird drei Uhr, bis wir dort sind.
Ja und? meint Quim, genau richtig zum Mittagessen. Núria
kennt dort ein gutes Fischlokal. Ich sehe Harald an. Ich weiß:
Harald ist Vegetarier. Von der harten Sorte. Er hasst Fisch.
Immer mehr Wolken.

Kurz vor Cadaqués habe ich immer noch Hoffnung. Meine
Vision: ein freundliches Restaurant direkt am Wasser. Mit
Terrasse. Fisch für die einen, Salat und Brote für die anderen.
Für alle Wein. Und vor allem Strand. Alles ist möglich: sich
sonnen, Beachball spielen, spazieren gehen. Für jeden etwas.
Ich sehe aus dem Fenster. Eine wunderbare Idee, nur ... der
Himmel ist inzwischen bedeckt.
Die Sonne ist weg.

Um Viertel nach drei kommen wir an. Wir stehen am Hafen
von Cadaqués. Rechts die Spanier, links die Deutschen, ich in

der Mitte. Leichter Regen. Tropfen auf dem Meer, der Strand
wird nass.
Für die Spanier ist alles ganz einfach. Es ist nach drei Uhr und
es regnet. Und Núria kennt ein gutes Lokal. Klare Sache. Núria
zeigt uns das Restaurant. Es sieht elegant aus, eher teuer. Keine
Terrasse, keine Brote.
Ich schaue rüber zu den Deutschen. Auch für die Deutschen ist
die Sache klar. Ausflug. Endlich. Los geht's. Fürs Picknick an
der Tankstelle einkaufen und dann losmarschieren, Richtung
Leuchtturm. Es regnet? Kein Problem!

Ich übersetze, ich suche immer noch eine Lösung für alle. Ich
übersetze vorsichtig und nicht ganz korrekt. Für die Spanier
sage ich Supermarkt statt Tankstelle und Spaziergang statt
Wanderung. Für die Deutschen mache ich aus dem Menü ein
paar kleine Tapas und setze den Preis ein bisschen nach unten.

Es hat keinen Sinn. Zuerst schauen mich die Spanier fragend an
und dann die Deutschen. Zwei Welten.
Ein Spanier fährt nicht nach Cadaqués, um dann ein Käsebrot
im Regen zu essen. Eigentlich logisch. Ein Deutscher fährt nicht
zwei Stunden lang ins Grüne, um dann in einem fensterlosen
Restaurant zu warten, bis es dunkel wird. Auch logisch. Wo
bleibt eigentlich die Globalisierung?, frage ich mich.

Man sieht mich immer noch fragend an. Ich schaue aufs Meer.
Ich muss jetzt diplomatisch sein. Oder besser gesagt: pädago-
gisch. Ich war einmal Lehrer. Meine Idee: Gruppenarbeit.
Gruppen nach Interesse. Mehr Spaß und Motivation durch
Autonomie. Konfliktfrei und dynamisch: Je länger die einen in
Ruhe essen, desto länger können die anderen im Regen herum-
laufen.

Ich schlage also vor: Wer wandern will, soll wandern und wer ins Lokal gehen will, soll ins Lokal gehen. In zwei Stunden treffen wir uns hier wieder und fahren noch zusammen zum Leuchtturm. Ich sehe wieder nach links und rechts. Niemand protestiert.

Um halb sechs sind alle da und jeder scheint ganz zufrieden. Die Spanier hatten ein tolles Menü, die Deutschen einen abenteuerlichen Weg am Meer entlang. Jedem das Seine.

Oben beim Leuchtturm hat man einen herrlichen Blick über die Küste. Der Regen hat aufgehört. Die Bar ist geöffnet, wir bestellen Kaffee. Endlich etwas, was alle mögen. Danach fahren wir wieder los, Quim und Nuria bringen uns zum Bahnhof von Girona. Wir haben Glück, schon zehn Minuten später fährt ein Zug nach Barcelona.

Also ist alles noch einmal gut gegangen. Aber irgendwie ganz schön anstrengend. Ein freier Tag, ein Ausflug, junge Leute, irgendwie denkt man, das könnte leichter sein. Und lustiger.

Ach ja, wo ich eigentlich am Nachmittag gewesen bin? Na ja, ich kenne Cadaqués ja schon, und außerdem hatte ich keine Regenjacke dabei.

Eine Serviette, zwei Gläser

Hugo erreicht den Bahnsteig, aber der Zug fährt schon ab.
Er macht noch ein paar Schritte, der Zug wird immer schneller.
Hugo bleibt stehen und sieht ihm nach. Er musste im Café
noch zahlen, das hat lange gedauert, der Kellner ist nicht
gekommen. Und jetzt ist sie weg.
Er schaut, er sieht die winkenden Hände in den Fenstern, dann
ist der Zug verschwunden. Er wartet noch einen Moment, aber
es hat keinen Sinn. Langsam geht er zurück ins Café.
Einen Kaffee, denkt er.
Auf dem Tisch stehen noch die zwei Gläser, die leere
Weinkaraffe, der volle Aschenbecher. Eine Serviette auf einem
Teller. An der Serviette, das leuchtende Rot des Lippenstifts.

„Erst kurz vor drei, wir haben Zeit", hört sich Hugo noch einmal sagen, „trinken wir auf ein Wiedersehen. Bald, hoffentlich,
sehr bald!"
„Gut", hört er sie antworten, „aber ich verstehe wirklich nicht,
warum du jetzt nicht mitkommst. Du hast es mir doch verspro-
chen!"
Hugo nickt.
„Ich weiß", flüstert er, „aber ich glaube, ich muss hier am Meer
bleiben. Deine große Stadt, das ist nichts für mich. Was soll ich
da machen?"
„Und hier?", fragt sie zurück. „Was machst du hier?"
„Hier habe ich wenigstens meine Fische. In der Stadt habe ich
doch nichts zu tun."
Sie lächelt: „Du kannst mir im Geschäft helfen. Mit den
Kunden sprechen, Rechnungen schreiben, telefonieren."
„Aber das habe ich noch nie gemacht. Das ist nicht meine
Sache."

„Aber die Fische musst du doch auch verkaufen!"
„Ja, schon, aber da brauche ich kein Telefon und keine Kasse.
Garibaldi holt sie für seine Bar und basta."
Laura schüttelt den Kopf und nimmt einen Schluck Weißwein.
„Du kannst auch zu Hause bleiben, bei Helene. Morgens
bringst du sie in die Schule, mittags kochst du etwas für sie und
nachmittags geht ihr in den Park. Oder du liest ihr eine
Geschichte vor. Und abends komme ich nach Hause und wir
machen noch etwas zusammen. Am Wochenende fahren wir
dann raus und machen ein Picknick im Grünen."
„Ein Picknick im Grünen?"
„Ja", lächelt Laura, „warum nicht?"
Ja, denkt Hugo, warum fahre ich nicht mit? Warum soll ich hier
bleiben? Das Fischen geht schlecht, die großen Schiffe machen
die Preise kaputt und im Dorf gibt es viele Touristen und wenig
Freunde.
„Also", sagt sie noch einmal, „warum kommst du nicht mit?"

Ja, warum ist er nicht einfach mitgefahren?
Sie würden jetzt im Zug sitzen, sie würde ihre Hand auf sein
Knie legen und lächeln und sagen: „Wie schön, dass du da bist,
alles wird gut."
„Darf es noch etwas sein?", fragt plötzlich eine Stimme.
Hugo sieht auf. Der Kellner steht am Tisch.
„Oh ja, bitte", antwortet Hugo, „einen Kaffee."
Der Kellner sieht die beiden Gläser.
„Einen oder zwei?", fragt er.
„Einer ist genug, glaube ich."
„Wie Sie wünschen."
Hugo blickt über den Tisch. Die Serviette mit dem roten
Lippenstift.
Ist sie vielleicht noch da?, denkt er plötzlich. War sie vielleicht

vorhin gar nicht im Zug? Ist sie vielleicht gar nicht mitgefahren?

Plötzlich hält ihm jemand die Augen zu.
„Wer ist das?"
„Rate mal!"
Ein zarter Kuss auf seiner Wange, eine sanfte Stimme flüstert in sein Ohr:
„Ich hatte einfach keine Lust, alleine wegzufahren."
„Und Helene?"
„Helene soll herkommen. Mit dem Zug. Das gefällt ihr bestimmt. Sie soll endlich einmal das Meer sehen. Und heute Abend gehen wir alle drei zu Garibaldi essen."
„Und das Geschäft?"
„Ist doch egal", antwortet sie, „der Laden bleibt ein paar Tage geschlossen."
„Wunderbar", sagt er.
Er zögert, ob er es ihr sagen soll.
„Aber was ist denn?" Sie sieht ihm in die Augen. „Freust du dich nicht?"
„Doch", sagt Hugo und lächelt. „Es ist nur ..."
„Na, was?"
„Vorhin, als der Zug abgefahren ist, habe ich mir vorgestellt, ich würde noch schnell einsteigen und mitfahren."
„Wirklich", lacht sie, „zum Glück hast du das nicht gemacht. Stell dir vor ..."
„Ich habe dich im Zug lange gesucht und dann endlich gefunden, du hast ein Buch gelesen ..."
„Und dann?", fragt sie, amüsiert von dieser Fantasie.
„Du siehst mich, aber dein Blick ist fremd. Du hier? Was willst du hier? Du schaust mich an, mit Stadtaugen, Geschäftsaugen. Plötzlich weiß ich, dass es ein Fehler war, eine Dummheit. Ich

möchte aussteigen, aber der Zug fährt schon. Zu spät. Ich muss
mit …"
Sie legt den Arm um seine Schulter.
„Hugo, nie, nie werde ich dich mit fremden Augen anschauen",
hört er sie flüstern, „nie, das weißt du, nie!"

Jemand kommt an den Tisch.
„Ihr Kaffee", sagt der Kellner und stellt die Tasse vor ihn hin.
„Danke", sagt Hugo leise.
Der Kellner räumt den Tisch ab. Er nimmt die Serviette und
stopft sie in ein Teeglas. Hugo sieht, wie sich die Serviette mit
dem kalten Tee vollsaugt, das leuchtende Rot wird schmutziges
Grau.
„Ist der Schnellzug schon abgefahren?" fragt Hugo.
„Ja", sagt der Kellner, „schon lange."

Abends kommt Hugo in die Dorfbar.
„Wo kommst du denn her?", fragt Garibaldi.
„Vom Bahnhof", antwortet Hugo.
„Was hast du denn da gemacht?"
Hugo zögert einen Augenblick.
„Du weißt doch", sagt er und lächelt vor sich hin, „das Café am
Bahnhof ist das einzige, das sonntags den ganzen Tag aufhat."

Anekdote aus einem bayrischen Biergarten

Sie erwarten jetzt sicher Folklore. Männer in Lederhosen, rustikale Lieder, Gemütlichkeit, Schweinshaxn und natürlich jede Menge Bier. Ich muss Sie enttäuschen. So war es nicht. Überhaupt nicht. Wir haben immer gleich unsere Vorstellungen: Ein Wort, eine Geste, schon sind sie da, unsere Assoziationen, unsere Klischees. Aber ich gebe zu, auch ich habe etwas ganz anderes erwartet ...

Das heißt, eigentlich erwarte ich gar nichts. Ich bin einfach nur froh, dort zu sein. Ich sitze wieder einmal nach langer Zeit in meinem persönlichen Paradies. Eine halbe Stunde mit dem Fahrrad durch den Wald, dann der Kirchturm, die Wiese, das Dorf und plötzlich darf ich wieder dort sein, im Biergarten „Zur Traube". Einfache Holztische unter Kastanienbäumen, alles unverändert. Sogar die Kellnerinnen sind noch dieselben. Hier kann man auch gut alleine sein. Man braucht kein Buch und keine Zeitung. Ein Biergarten ist wie ein Schauspiel, es gibt so viel zu sehen.
Ich bestelle also meine Halbe Bier, lehne mich glücklich zurück und schon beobachte ich eine interessante Szene.
Auf den ersten Blick nichts Besonderes. Junge Leute, eine Frau, zwei Männer, alle um die fünfundzwanzig, vielleicht noch Studenten, vielleicht schon in der großen Welt der Geschäfte: Architekten, Werbetexter, Computerhelden. Warum ich das glaube? Keine Ahnung, aber wie gesagt, man hat so seine Vorstellungen.
Das Grüppchen ist jedenfalls ein freundlicher Anblick, die Jungs in weiten weißen Hemden, die Frau in einem bezaubernden Sommerkleid. Aber nicht ihre Kleidung macht mich aufmerksam. Es ist ihre Unterhaltung, obwohl ich sie nicht verste-

hen kann. Ich erkenne aber sofort: Das hier ist kein Plaudern, das ist eine brillante Konversation.

Einer der Männer spricht. Völlig fasziniert hört die Frau zu, ihr Blick auf seinen Händen. Seine Hände, welch ein Spektakel! Für Momente liegen sie ruhig, ziehen dann Linien auf dem Tisch, imaginäre Bilder und Skizzen, und fliegen plötzlich in die Luft, in magischen Kreisen und fantastischen Figuren. Die Frau folgt seinen Gesten, sieht ihm dann wieder ins Gesicht, antwortet. Es ist wie ein Duell zwischen den beiden. Der dritte, ein riesiger Kerl, sitzt nur da, überflüssig, er wirkt unkonzentriert, das Thema scheint ihm zu kompliziert zu sein.

Was muss man einer Frau erzählen, dass sie einen so ansieht? Ich gebe zu, ich werde so neugierig, dass ich mich sogar ein Stück vorbeuge, um etwas zu verstehen. Das Thema, wenigstens das Thema möchte ich wissen! Diese Figuren in der Luft, so leicht, so lässig, was zum Kuckuck bedeutet das alles?

Ein Wort kann genügen. Ich verstehe jetzt einige, aber was soll das bedeuten? ‚Schwarz‘, ‚weißt du‘, ‚sicher‘, ‚gelb‘ oder ‚Geld‘? Schwarzgeld?, denke ich einen Moment. Illegale Geschäfte? Hier in meinem Paradies? Kann doch nicht sein!

Ich konzentriere mich.

Er sagt jetzt ein paar Mal ‚modisch‘, außerdem ‚Bilder‘ und ‚dekorativ‘.

Also doch keine Mafia, beruhige ich mich.

Dann verstehe ich ‚Modell‘ und ‚Fan‘ und plötzlich habe ich eine Idee:

Natürlich! Sie ist Foto-Modell und er Mode-Designer und der Dritte vielleicht ihr Manager ... oder vielleicht doch eher ihr Chauffeur?

Ich brauche noch mehr Informationen. Um jeden Preis. Ich nehme meinen Stuhl und rücke ein bisschen näher: ‚psychologisch‘, ‚Effekte‘, ‚Konflikt‘, ‚reflektieren‘. Hoppla, das klingt ja nicht gerade nach Gala-Abend und Schickimicki.

‚Single‘, ‚du entscheiden‘, ‚konsequent‘, ‚mit sich selbst identifizieren‘. Klingt eher nach Lebenskrise. Auf jeden Fall geht es um eine wichtige Entscheidung. Ist das spannend! Was zum Teufel ist hier los?

Ich will mehr, ich will jetzt alles wissen.

Aber ein paar Augenblicke später ist alles aus.

Das Lokal wird voller und voller, und plötzlich setzen sich zwei Paare an meinen Tisch. Ohne zu fragen. Eine akustische Invasion, ein Alptraum: ein lautes, lustiges Gespräch über ihren Sommerurlaub.

Warum sitze ich hier und nicht dort? Ich sehe noch einmal hinüber, das Schauspiel geht weiter, der Zauberer und die Fee und daneben der schlafende Riese. Die magischen Worte werden mir also Rätsel und Geheimnis bleiben, für immer.

Kurze Zeit später habe ich mein Bier ausgetrunken, das Paradies ist verloren, ich kann gehen. Auch mein Trio ist schon weg, das habe ich gar nicht bemerkt. Ich zahle also und hole mein Fahrrad. Aber als ich losfahren will, höre ich plötzlich seine Stimme. Ich drehe mich um, da sind sie wieder, die drei. Der Riese sitzt schon in einem gelben Sportwagen, die beiden anderen umarmen sich noch einmal zum Abschied.

„Und“, sagt er, „denk an meine Worte, Susi, einmal muss man sich entscheiden. Dieser und kein anderer. Sicher, wenn du noch lange weitersuchst, findest du vielleicht irgendwo einen besseren, einen optimalen. Aber einmal muss man eine Entscheidung treffen und dafür die Verantwortung tragen. Und wenn dir der blaue Lampenschirm in dem Baumarkt gefällt, dann nimm ihn doch einfach."

Was soll ich sagen? Dass ich desillusioniert war? Enttäuscht? Oder einfach nur irgendwie erleichtert ...

Der Stromausfall

Licht! sagt Fridolin. Mach das Licht wieder an!
Er wartet einen Moment.
Nichts. Kein Licht. Das Wohnzimmer bleibt dunkel.
Verdammt, zischt er und tastet nach der Fernbedienung für den Fernseher.
Die Chipstüte, die Bierdose, aber keine Fernbedienung.
Ich bitte dich, Berta! Das Spiel beginnt doch gleich und ich kann die Fernbedienung nicht finden. Mach sofort das Licht wieder an!

Stille. Dunkelheit.
Mein Gott, flucht Fridolin. Er hat jetzt wirklich keinen Sinn für solche blöden Scherze. Auch nicht für Grundsatzfragen: warum ich und nicht du?
Sie haben heute schon lange genug diskutiert. Alle wollten fernsehen. Ausgerechnet heute. Die Verhandlungen waren kompliziert und der Preis hoch, bis endlich jeder zufrieden war.
Fridolin musste alles Mögliche versprechen, erlauben und zur Verfügung stellen.
Seine Frau hat das Handy bekommen. Das heißt, sie wird nachher in der Badewanne sämtliche Freundinnen anrufen und dabei eine astronomische Telefonrechnung produzieren.
Sein Sohn Max darf sogar in Fridolins Büro. Das heißt, er wird auf Fridolins teurem Computer irgendwelche Monster abschießen und dazu auf Fridolins neuer Stereoanlage grauenhafte Musik hören. Schreckliche Vorstellungen! Aber Fridolin will sich jetzt gar nichts vorstellen, er will die Füße auf den Tisch legen und das Spiel sehen.
Berta will sich nicht einmal um die Pizza kümmern. Warum immer ich und warum nicht mal du? Schon gut, schon gut!

Eine fürchterliche Familie! Fridolin hat die Tiefkühl-Pizza selber in den Ofen gelegt, genau zur Halbzeit-Pause wird sie fertig sein. Alles ist vorbereitet, noch drei Bierdosen im Kühlschrank, nichts kann mehr schief gehen, eigentlich ...
Mach das Licht an, Berta! Ich zähle bis drei und dann ist das Licht an! Eins, zwei, drei ...

Stille. Dunkelheit.
Plötzlich ein Geräusch aus dem Badezimmer. Ein Platschen, dann ein Schrei. Berta ist gar nicht im Zimmer, denkt Fridolin, sie ist schon im Bad. Dann muss die Glühbirne kaputt gegangen sein.
Dieses verdammte Ding! Leuchtet jahrelang und geht dann plötzlich kaputt, genau fünf Minuten vor dem großen Halbfinale hier in der Stadt. Einfach so. Fridolin seufzt.
Wenigstens gibt es in der Küche Ersatzglühbirnen.

Stille. Dunkelheit.
Die Wohnzimmertür knarrt.
Berta? fragt Fridolin.
Ja, sagt Berta.
Sag mal, Berta, könntest du in der Küche ...?
Fridolin, unterbricht ihn Berta, im Bad ist das Licht kaputt gegangen. Ich bin ausgerutscht und ich glaube, mir ist ...
Was, im Bad auch?
Ja, ganz plötzlich und ich glaube, mir ist ...
Dann ist das ein Kurzschluss, ruft Fridolin, so ein Mist!
Und was heißt das? fragt Berta.
Man muss im Keller die Sicherungen auswechseln. Berta, du weißt doch, wo ...
Fridolin, ich habe nichts an, ich habe nasse Füsse und ich glaube, mir ist ...

Schon gut, schon gut, stöhnt Fridolin, ich gehe ja schon. Immer ich ...
Fridolin quält sich langsam aus dem Fernsehsessel. In diesem Moment spürt er einen Gegenstand auf seinem Oberschenkel. Er greift danach. Zu spät. Das Ding rutscht und kracht auf den Boden.

Stille. Dunkelheit.
Was war das? fragt Berta erschrocken.
Ich weiß nicht, sagt Fridolin, aber ich glaube, es war die Fernbedienung. Wenn man doch nur etwas sehen könnte!
Wieder ein Schrei. Wie vorhin im Bad. Aber jetzt mitten im Wohnzimmer.
Was ist passiert? ruft Fridolin erschrocken.
Etwas hat mich angefasst, flüstert Berta entsetzt.
Ich bin's, sagt Max.
Du? staunt Fridolin. Und warum bist du nicht in meinem Büro?
Der Computer ist plötzlich ausgegangen und die Musik auch. Mist, ich hatte schon sieben Drachen getötet und war schon in der Burg.
Wo warst du? fragt Berta.
Vergiss es, Mama, davon hast du keine Ahnung.

Stille. Dunkelheit.
Dann ist das ganze Haus ohne Strom, sagt Fridolin, wir brauchen eine Taschenlampe.
Wir haben keine Taschenlampe, die haben wir doch im Sommer auf dem Campingplatz verloren.
Gut, sagt Fridolin, dann gehe ich schnell zum Nachbarn rüber und hole eine. Bin gleich wieder da.
Du willst einfach abhauen, ruft Berta.

Aber wir brauchen doch eine Taschenlampe!
Du willst das Fußballspiel anschauen und uns alleine lassen,
schluchzt Berta.
Du kannst ruhig hier bleiben, sagt Max, es hat sowieso keinen
Sinn.
Und warum nicht? fragt Fridolin trotzig.
Schau doch mal zum Fenster raus, sagt Max, die ganze Straße
ist dunkel. Kein Licht. Ein totaler Stromausfall.
Ein totaler Stromausfall? Heißt das, dass in der ganzen Straße
niemand das Spiel sehen kann?
Sieht so aus, oder siehst du was?
Also gut, dann bleibe ich eben hier, sagt Fridolin.

Stille. Dunkelheit.
Ich habe Hunger, sagt Max. Wir könnten etwas essen. Essen
kann man ja wohl auch im Dunkeln.
Gute Idee, sagt Fridolin. Es gibt sogar Pizza, dauert aber noch
ein bisschen ...
Vergiss es, sagt Berta.
Und warum, bitte? Ich habe sie doch vorhin selbst in den Ofen
getan.
Der Ofen ist aus, Fridolin und die Pizza tiefgefroren.

Stille. Dunkelheit.
Aber wir könnten uns setzen, sagt Max, das Sofa geht doch
noch, oder?
Plötzlich ein lautes Knacksen.
Was war das, Fridolin?
Ach nichts, sagt Fridolin, ich glaube, ich habe die
Fernbedienung gefunden.

Stille. Dunkelheit.

Ich hab's, sagt Fridolin, wir nehmen das Auto und fahren irgend wohin. Am besten zu Onkel Georg! Da gibt es immer etwas zu essen und ich könnte nebenbei das Fußballspiel ...

Das geht doch nicht, sagt Max genervt.

Warum nicht? regt sich Fridolin auf. Habe ich vielleicht ein elektrisches Auto mit Steckdose? Ich habe immer noch einen Diesel, einen guten alten Diesel!

Schon gut, Papa, aber dein Diesel steht in der Garage.

Na und? Dann holen wir ihn raus!

Aber das Garagentor ist elektrisch, das fandest du doch so praktisch ...

Stille. Dunkelheit.

Ich wüsste was, sagt Max.

Was?, fragt Fridolin hoffnungsvoll.

Wir könnten telefonieren.

Aber das Telefon geht doch auch nicht mehr.

Das Telefon nicht, aber das Handy, wir haben immer noch das Handy.

Natürlich, daran habe ich gar nicht gedacht.

In diesem Moment beginnt Berta zu schluchzen.

Beruhige dich doch, Berta, wir nehmen ein Taxi und verschwinden von hier.

Berta schluchzt weiter.

Was ist denn los, Berta? ruft Fridolin. Du wirst sehen, alles wird gut.

Sie schüttelt den Kopf.

Vorhin im Bad, als plötzlich das Licht ausgegangen ist ...

Fridolin erinnert sich wieder. Oh nein! Das Platschen, der Schrei.

Nein, Berta, das darf doch nicht wahr sein!

Doch, ich wollte es vorhin schon sagen, aber dann ...

Stille. Dunkelheit.

Aus, sagt Fridolin, alles ist weg, verloren: der Fernseher, der Ofen, das Auto, nichts geht mehr. Wir sind erledigt.

Hey, sagt Max, das ist doch nur ein Stromausfall. In ein paar Stunden geht das alles wieder. Ganz normal.

Das Handy nicht, sagt Fridolin bitter, das schwimmt in der Badewanne.

Die Fernbedienung auch nicht, sagt Berta giftig, die hast du vorhin auf den Boden fallen lassen und bist dann draufgetreten.

Und das Fußballspiel ist dann auch vorbei, flüstert Fridolin.

Stille. Dunkelheit.

Sagt mal, beginnt Fridolin noch einmal, könnte es sein, dass die ganze Stadt ohne Strom ist?

Kann sein, sagt Max, aber das ist jetzt auch egal.

Na ja, sagt Fridolin, nicht ganz, dann wäre ja auch im Stadion kein Licht. Dann könnten die gar nicht spielen, die Partie würde ausfallen und nächste Woche ...

Fridolin!

Schon gut, schon gut, ich dachte ja nur.

Stille. Dunkelheit.

Seltsam, sagt Berta, gerade noch hat alles ganz normal funktioniert. So selbstverständlich. Jetzt sitzen wir eine halbe Stunde im Dunkeln und schon kann man sich das gar nicht mehr vorstellen, wie das einmal war, so mit Licht und Fernseher und Backofen.

Stille. Dunkelheit.

So muss das im Krieg gewesen sein, sagt Fridolin. Opa hat das doch immer erzählt. Im Dunkeln sitzen und nichts geht mehr. Auf dem Campingplatz in Italien war es doch auch so, sagt Max. Da funktionierte doch auch nichts, wir hatten nicht einmal einen Kühlschrank.

Aber das war Urlaub, sagt Fridolin, da muss das so sein. Wir wollten das so. Wir haben das wunderbar gefunden.

Ich habe das nicht wunderbar gefunden, protestiert Berta, es war einfach furchtbar. Ich hatte nur Arbeit. Koch du mal Gulasch auf so einem verdammten Camping-Kocher! Nie wieder!

Unsere Camping-Reisen haben dir also gar nicht gefallen? Überhaupt nicht, mir hat es immer gegraust!

Warum hast du denn nie was gesagt?

Du hast mich ja nie gefragt! Wir haben immer nur alles wegen der Kinder gemacht.

Meinetwegen hätten wir nicht fahren müssen, sagt Max. Ich wäre auch lieber zu Hause geblieben.

Was? Du auch?, fragt Fridolin leise.

Stille. Dunkelheit.

Plötzlich hört man Schritte. Jemand kommt langsam die Treppe herunter.

Pssst!, zischt Fridolin.

Knarrend öffnet sich die Wohnzimmertür. Alle halten den Atem an.

Mama?, fragt eine zarte Stimme. Papa?

Eva?, fragt Fridolin erstaunt.

Ja, Papa, ich bin's.

Kind, hast du uns erschreckt! Seit wann bist du denn zu Hause?

Ich? Schon den ganzen Nachmittag.

Schon den ganzen Nachmittag? Warum bist du denn nicht zu uns ins Wohnzimmer gekommen?

Ins Wohnzimmer? Was soll ich denn hier? Hier läuft doch die ganze Zeit nur der Fernseher. Ich habe gelesen und dann bin ich eingeschlafen. Übrigens, warum sitzt ihr hier eigentlich im Dunkeln?
Ach ja, du weißt es ja noch gar nicht ...

Stille. Dunkelheit.
Das ist schon lange nicht mehr passiert, sagt Eva.
Ja, sagt Fridolin, so ein Mist! Und ausgerechnet heute!
Ich meine nicht den Stromausfall. Ich meine, dass wir alle vier zusammen im Wohnzimmer sitzen und der Fernseher nicht läuft.
Ach so, sagt Fridolin, stimmt. Man kann einfach nichts machen. Nur da sitzen und warten und warten.
Wir könnten uns unterhalten, sagt Eva.
Uns unterhalten? Worüber denn?, fragt Fridolin.
Na, du könntest mal was erzählen. Du hast uns schon lange nichts mehr erzählt.
Hm, brummt Fridolin, was soll ich euch erzählen? Ich arbeite von morgens bis abends, ich erlebe doch nichts, nichts Besonderes jedenfalls ...
Na, dann erzähl doch mal, wie du Mama kennen gelernt hast!
Au ja!, ruft Max. „
Ach Gott!" ruft Berta.

Wie ich Mama kennen gelernt habe? Wie meinst du das?
Ihr müsst euch doch irgendwann kennen gelernt haben. Ihr habt euch getroffen, ihr habt euch in einander verliebt, ihr seid ein Paar geworden. Wie war das alles?
Hm, sagt Fridolin, das ist alles schon so lange her ... Tja, Berta, wie war das eigentlich? Erinnerst du dich?
Ja, seufzt Berta, sogar ziemlich genau. Wir haben beide im Studentenchor gesungen und eines Tages hat mich euer Vater

zum Tee eingeladen, zu sich nach Hause. Oma und Opa waren
nicht da.

Und?, ruft Eva.

Was und?, sagt Fridolin nervös. Wir haben auf dem Sofa gesessen und uns unterhalten.

Und dann?

Nix dann, wir haben uns eben sehr lange unterhalten.

Kann man sich gar nicht vorstellen, sagt Eva.

Ja, sagt Berta, und plötzlich ist das Licht ausgegangen. Plötzlich
diese Stille und diese Dunkelheit.

Ach ja, Berta hat plötzlich das Licht ausgemacht, sagt Fridolin
schnell.

Fridolin, ich habe das Licht nicht ausgemacht! Du hast es ausgemacht!

Wieso ich? Das ist doch lächerlich!

Stille. Dunkelheit.

Na ja, sagt Berta leise, jedenfalls war das ein wunderbarer
Abend.

Findest du? fragt Fridolin vorsichtig, findest du das wirklich?

Ja, flüstert Berta, und im Grunde ist es völlig egal, wer das Licht
ausgemacht hat, nicht?

Ja, sagt Fridolin langsam, eigentlich völlig egal. Es war einfach
nur wunderschön.

Kakao ohne Unterschrift

„Wo muss ich unterschreiben?", fragt ein junger Mann auf
Englisch und nimmt einen Plastikbecher.
„Nirgends", sage ich und frage zurück: „Warum unterschrei-
ben?"
„Keine Ahnung", sagt er, „ich habe heute schon drei Mal unter-
schrieben: für die Bettwäsche, für die U-Bahnkarte, die dritte
Sache weiß ich nicht mehr."
„Kann ich noch etwas haben?", fragt ein anderer und gibt mir
seinen leeren Becher. Ich nehme die Kanne mit dem Kakao,
noch ist sie schwer.
„Klar", antworte ich und schenke ein. Ich kann einfach nicht
Nein sagen. Aber ich weiß, dass noch mehr Leute kommen. In
ein paar Minuten ist nichts mehr da. Dann gibt es wieder trau-
rige Gesichter.

Der kleine Platz ist abends normalerweise ziemlich ruhig. Keine
Kneipen, keine Restaurants. Ab und zu Leute auf dem Weg
nach Hause, ab und zu ein Auto.
Aber seit neun Uhr ist hier plötzlich eine Menge los. Sie kom-
men, einzeln, zu zweit, in kleinen Gruppen. Eine lose
Karawane. Afrikaner, Asiaten, viele Menschen aus Osteuropa.
Um halb zehn müssen sie zurück sein, in dem improvisierten
Asyl für Immigranten. Dort müssen sie ihre Karte zeigen und
in der Liste hinter ihrem Namen unterschreiben.
Ein Schild über dem Eingang warnt: Wer seine Karte weitergibt,
für einen anderen unterschreibt oder eine Nacht ohne
Entschuldigung fehlt, verliert seinen Schlafplatz. Das heißt, ein
Bett in einem der großen, kalten Räume. Immerhin ein Dach
über dem Kopf. Viele von ihnen haben vorher einige Wochen
draußen geschlafen, auf Parkbänken, in Hauseingängen.

Natürlich will niemand dieses Bett verlieren. Also versucht jeder, pünktlich zu sein. Normalerweise gehen sie sofort ins Haus und dann wie immer: Unterschrift, Hausregeln, Nachtruhe.

Heute, wie jeden Donnerstag, ist es ein bisschen anders: Wir haben vor dem Haus einen Tisch aufgestellt. Darauf die Thermoskannen mit Kakao, eine Menge Plastikbecher und ein paar Kilo Kekse. Ein Betthupferl.

Die meisten Rückkehrer bleiben stehen und nehmen etwas. Es sind nur ein paar Minuten. Aber Zeit genug, um ein bisschen zu plaudern und zu lachen, manche singen auch oder beten zusammen.

Es ist nur ein Moment, aber ein guter Moment, in Monaten und Jahren voller Schwierigkeiten. Wenigstens das: Einmal in der Woche wartet jemand auf sie, gibt ihnen das Gefühl, nach Hause zu kommen.

Und ausnahmsweise einmal müssen sie nicht unterschreiben.

Fee mit Idee

„Können wir uns nachher sehen?", fragt Federica.

Fabian ist überrascht: „Die anderen essen zusammen. Gehst du denn nicht mit?"

„Ich weiß", sagt Federica, „aber ich möchte gerne mit dir alleine sein. Ich ..." - sie sieht ihn kurz an - „... ich muss mit dir sprechen. Aber ich möchte natürlich nicht ..."

„Warte doch", sagt Fabian, „natürlich geht das, wir müssen ja nicht mitgehen. Wir gehen einfach in ein anderes Café."

„Wirklich", fragt sie, „ist das okay für dich?"

„Ja", sagt Fabian schnell, „absolut okay. Also, nachher vor der Schule?"

„Lieber nicht", flüstert Federica, „da sehen uns die anderen."

„Stimmt", sagt Fabian. „Im Café am Ufer?"

„Ja", sagt sie, „das ist eine gute Idee. Um halb zwei?"

„Alles klar", grinst Fabian.

„Danke", sagt sie leise und geht wieder ins Klassenzimmer.

Fabian bleibt auf dem Balkon. Er sieht auf die Uhr, noch fünf Minuten Pause, genug Zeit für eine Zigarette. Er braucht jetzt eine.

„Ich muss mit dir sprechen. Alleine."

Er sieht noch einmal auf die Uhr. Noch zwei Stunden Deutsch. Eine Ewigkeit! Zwei Stunden Konjunktiv und Präteritum und Konversation. Wie soll er das aushalten?

„Ich muss mit dir sprechen. Alleine."

Endlich! Heute morgen war er noch enttäuscht. Sie ist zu spät gekommen, neben ihm war ein Platz frei. Genaro ist heute nicht da, wahrscheinlich macht er blau und schläft noch, Fabian hat ihn morgens in der Wohnung nicht gesehen. Aber sie hat sich nicht neben ihn gesetzt, sie hat ihn nicht einmal gegrüßt.

Fast einen Monat ist Fabian nun hier. Sommersprachkurs in
Berlin. Heute beginnt die letzte Woche. Der Kurs war eine
super Idee, eine gute Kombination aus Lernen und Ferien
machen. Und ihre Gruppe ist einfach toll. Eine kunterbunte
Mischung aus aller Welt. Zwölf Studenten aus acht Ländern. Er
ist der einzige Holländer, Genaro, sein Wohnungskollege, ist aus
Mexiko, dann gibt es noch Leute aus Australien, Japan,
Frankreich und ... eine Italienerin.
Sie haben sich alle von Anfang an gut verstanden. Und das auf
Deutsch! Vormittags vier Stunden Unterricht, gut, das war
manchmal ein bisschen stressig, aber es hat auch Spaß gemacht.
Und nach der Schule war immer etwas los: Straßencafés,
Picnics, Ausflüge. Und dann die Abende! Sie sind oft zusam-
men ausgegangen, Kneipen, Konzerte, Diskotheken. Aber das
Beste waren eigentlich die privaten Partys. Einfach bei jeman-
dem Spaghetti kochen und dann feiern, tanzen und singen.
Genaro hat eine Gitarre, er spielt super und kennt alle Lieder,
von Cat Stevens bis Paolo Conte.
Federica kam erst in der zweiten Woche, sie war anfangs ganz
schön distanziert und Genaro fand sie sofort ein bisschen
schickimicki. Sie wollte nie mitkommen, sie war ständig auf
dem Kulturtrip.
So konnte das nicht weitergehen. Einmal lud Fabian sie mittags
ein, mit dem Fahrrad an den Wannsee zu fahren, aber sie
lächelte nur: „Nein danke, ich habe schon etwas vor". Das war
ziemlich arrogant, aber dann drehte sie sich plötzlich um und
sagte:
„Ich gehe in die Nationalgalerie. Wenn du Lust hast, kannst du
ja mitkommen."
Natürlich hatte er Lust, nicht so sehr auf das Museum, aber auf

einen Nachmittag mit Federica. In dem Museum war er sogar
schon gewesen, in der ersten Woche mit der Schule. Aber das
musste er ihr ja nicht sagen. So wusste er einiges und konnte
ihr ein bisschen imponieren. Schließlich studiert sie Kunst-
geschichte. Danach liefen sie lange am Kanal entlang und
unterhielten sich gut. Über Italien, über ihr Studium, über Van
Gogh. Er hatte schon einen tollen Plan für den Abend, sein
Lieblingsrestaurant und dann die Salsabar, aber plötzlich sah
sie auf die Uhr und sagte:
„Ich nehme hier die U-Bahn. Ich treffe in einer halben Stunde
meinen Tandempartner. Nett war's, bis morgen."
Schon war sie weg. Und tschüss.
Das war der Anfang. Immerhin. Aber es dauerte noch ein bisschen. Dann ließ sie sich endlich einmal blicken, auf der Party
bei John, dem Australier. Natürlich war sie zuerst wieder ganz
trocken, aber so nach zwei, drei Gläsern Wein wurde sie immer
lockerer. Und dann spielte Genaro ein paar italienische Lieder,
„Bella ciao" und „Azurro", und plötzlich war sie richtig gut
drauf. Sie legte Genaro den Arm um die Schulter und sang bester Laune mit. Fabian auch, er kennt die Texte, und das beein-
druckte Federica, offenbar mehr als seine Kunstkenntnisse,
jedenfalls legte sie ihren anderen Arm um ihn. Und von
„schickimicki" wirklich keine Spur mehr.
Am nächsten Morgen in der Schule war der Spaß vorbei und
sie wieder ganz ernst, aber immerhin fragte sie ihn zwei, drei
Tage später, ob er noch einmal Lust hätte, auf ein Museum. Das
Pergamon. Auch das Pergamon war nichts Neues für Fabian,
aber natürlich sagte er ja. Und dachte an den Kanal und an sein
Lieblingsrestaurant und an die Salsabar.
Aber aus dem Rendezvous wurde wieder nichts. Diesmal hatte
Federica auch abends Zeit, das war nicht das Problem. Aber sie
hatte Geneviève mitgebracht, ihre Kursnachbarin aus Paris, und

die nervte ziemlich. Zuerst ihre altklugen Kommentare im Museum und dann das Gemecker im Restaurant. In Paris wäre alles besser. 'Dann lass uns doch in Ruhe', dachte Fabian die ganze Zeit, aber Geneviève dachte gar nicht daran und quatschte pausenlos weiter. Sie gingen alle bald nach Hause.

Mit dem Rendezvous hatte es bis heute noch nicht geklappt. Aber es gab gute Abende und der beste war am letzten Mittwoch. Party in der Schule, Donnerstag war frei. Dabei hatte es ziemlich mies begonnen. Federica war nicht da. Fabian hatte schon Horrorvisionen, dass sie in die Oper gegangen war und dort mit ihrem Tandempartner über Richard Wagner filosofierte. Noch dazu war die Musik auf der Party schrecklich. Aber dann holte Genaro seine CDs raus und inszenierte eine echte Latino-Nacht. Und plötzlich stand Federica vor Fabian, aus dem Nichts, und wollte mit ihm tanzen. Genaro kapierte gleich und spielte „Mírame", Fabians Lieblingslied.
Eine rauschende Nacht. Kleine Pausen auf dem Balkon, Sekt und Pizza, lachen und plaudern mit den anderen, dann wieder tanzen, immer weitertanzen, Federica, lächelnd, unermüdlich, schwerelos.
Irgendwann hatte dann die Musik aufgehört und Fabian dachte schon, die Nacht wäre zu Ende. Aber die Fee hatte eine Idee. Ihre Vermieterin war nicht zu Hause, sie konnten bei ihr noch ein bisschen weiterfeiern. Unglaublich!
Sie waren wieder einmal zu dritt, Genaro kam auch mit. Aber das war in Ordnung. Sie sind schließlich Freunde und Genaro schlief nach einem Glas auch freundlicherweise auf dem Sofa ein. Federica legte ganz leise eine CD auf, und sie tanzten noch einmal zu „Mírame". Ganz langsam.
Irgendwann, bei Sonnenaufgang, nahm Fabian dann die erste U-Bahn. Der gute Genaro schlief da noch friedlich auf dem

Sofa. Erst mittags kam er nach Hause und weckte Fabian mit einem starken Kaffee.

Seitdem hat Fabian sie kaum mehr gesehen.
Am Freitag war sie in der Klasse, aber nach dem Unterricht sofort verschwunden. Am Wochenende organisierte die Schule einen Ausflug nach Prag. Federica hatte ihm auf der Party gesagt, dass sie wahrscheinlich nicht mitfahren würde und deshalb blieb auch er zu Hause. Er war sicher, dass sie anrufen würde, aber sein Telefon klingelte nicht. Ein schreckliches Wochenende, Genaro war auch nicht da. Fabian saß nur zu Hause herum, klimperte auf Genaros Gitarre und hoffte auf ihren Anruf. Schade, dachte er, wirklich schade.

Und nun will sie mit ihm sprechen. Alleine.
Fabian denkt an die Party. Wie sie getanzt haben. Genau in dem Raum, wo sie jetzt sitzen und Deutsch pauken sollen. Der Lehrer stellt ein paar Fragen, aber niemand kann sich so richtig konzentrieren. Konversation. Der Lehrer fragt nach dem Wochenende, nach den Höhepunkten der letzten Tage. Nicht sehr originell. Einige Schüler erzählen von Prag.
„Und du, Federica", fragt der Lehrer, „warst du auch in Prag?"
Federica schüttelt den Kopf. „Nein."
„Na, was hast du gemacht?"
'Gute Frage', denkt Fabian und spitzt die Ohren, 'ganz authentisch und aktuell. Wie nützlich so eine Deutschstunde sein kann.'
„Ich war zu Hause", antwortet Federica, nichts Besonderes.
„Habe lange geschlafen, bin spazieren gegangen, ... das war alles."
'Warum, verdammt', denkt Fabian, 'hast du mich dann nicht angerufen?'

„Aha", sagt der Lehrer, „und letzte Woche, irgend etwas
Schönes?"
„Na ja, die Party", sagt Federica, „die Party hat mir gut gefallen.
Die war echt super."
Und endlich, einen Moment lang, sieht sie zu Fabian hinüber.
'Na also', denkt er.

Nach dem Unterricht steht Federica sofort auf und geht weg.
Fabian bleibt noch und redet mit den anderen. Sie wollen
zusammen essen gehen, und danach an den Schlachtensee fahren.
„Kommst du mit?", fragt Geneviève.
„Jetzt nicht", sagt Fabian, „später vielleicht, ich weiß noch nicht,
ich rufe euch an."

Zwanzig Minuten später, im Café am Ufer. Sie sitzt schon da,
lächelt verlegen.
„Tut mir leid, dass du ..."
„Ach was", sagt er, „macht doch nichts."
„Ich weiß nicht, wie ich es dir sagen soll."
Sie sieht ihn an.
„Vielleicht kannst du dir ja was denken."
„Ja vielleicht", grinst Fabian, „aber ich bin mir nicht sicher."
„Es ist nur eine Idee", flüstert sie.
„Eine Idee? Da bin ich aber gespannt."
„Ja", sagt Federica, „also, du kennst doch mein Zimmer, ziem-
lich klein, und die Wohnung ..."
„Allerdings", sagt Fabian, „ 'mírame' und so weiter."
„Ja", sagt Federica, „und heute kommt die Vermieterin zurück
und die ist ziemlich schwierig."
'Soso', denkt Fabian, 'und was kommt jetzt?'

„Ich habe aber mit ihr telefoniert und sie wäre einverstanden. Die Frage ist nur, ob du …", sie legt ihre Hand auf seine Hand, „… ob du einverstanden bist."

Er nimmt ihre Hand und lächelt.

„Einverstanden, aber womit denn, Federica?"

Sie lehnt sich vor und sieht ihm bittend in die Augen.

„Dass wir beide die Zimmer tauschen. Es sind ja nur noch vier Tage. Und das Wochenende mit Genaro war so schön."

Die Untat

„Ich muss dir etwas erzählen", sagt Silvia und nimmt noch einen Schluck Kaffee, „aber auf Italienisch. Auf Deutsch geht das jetzt nicht, das macht mich zu nervös."
„Natürlich", sage ich, „aber was ist denn los?"

Normalerweise reden wir immer auf Deutsch. Schließlich ist das kein Kaffeeklatsch, sondern Privatunterricht. Silvia ist seit einem halben Jahr in Berlin, sie spricht schon sehr gut, flüssig und ziemlich korrekt. Sie ist eine angenehme Schülerin: interessiert und immer guter Laune. Deutsch macht ihr Spaß und sie hat Lust zu erzählen. Ein Glücksfall von Schülerin.

Aber heute stimmte etwas nicht, obwohl die Stunde wie immer anfing. Montagnachmittag, 17 Uhr, in meiner Wohnung. Sie steht lächelnd in der Tür, ich nehme ihr den Mantel ab, sie bedankt sich höflich. Wir setzen uns, ich gieße den Kaffee ein, während sie ihren Block aus der Tasche holt. Unser Ritual, bevor es richtig losgeht. Ich frage, wie ihr Wochenende war, die klassische Montagsfrage, und Silvia beginnt wie immer zu erzählen.

Am Samstagmorgen hat plötzlich ihr Freund vor der Tür gestanden. Jürgen ist Berliner, er studiert aber in Freiburg, sie können sich nicht sehr oft sehen. Eine tolle Überraschung also. Und der Samstag ist auch sehr schön gewesen. Frühstück in einem Straßencafé, Spaziergang am Wannsee, Kaffee bei Freunden, danach die ganze Nacht auf einer Party.
Das klingt eigentlich sehr gut, aber Silvia erzählt nicht so wie sonst, sie ist unkonzentriert, ihre Sätze sind kurz und voller Fehler.

„Silvia, ist etwas nicht in Ordnung?", frage ich.

Sie seufzt und schüttelt den Kopf. Und dann beginnt sie auf Italienisch:

„Es ist erst gestern passiert und ich muss immer daran denken."
„Aber was war denn?", frage ich.
„Ach, wir wollten ins Kino gehen, in die Vorstellung um sechs Uhr, bevor Jürgen wieder nach Freiburg zurückfahren musste. Wir haben die U-Bahn genommen, am Kottbusser Tor. Der Zug war total voll, wie immer am Sonntagnachmittag. Neben mir stand ein alter Mann, ziemlich verunsichert, offenbar nicht gewohnt, U-Bahn zu fahren, er schaute immer auf den Plan. Und dann war da noch ein junger Typ, vielleicht 16, 17 Jahre alt, mit einem Stapel Papieren in der Hand. Schulsachen, habe ich gedacht. Aber irgendwie komisch, wozu Schulsachen am Sonntagnachmittag?
Der Zug fährt in die nächste Station, Prinzenstraße, der Junge geht zur Tür, er will aussteigen, und in diesem Moment fällt alles auf den Boden. Überall Papiere. Der Junge schreit auf und greift panisch um sich, einige Leute reagieren schnell und helfen ihm. Alles geht durcheinander, weil der Zug auch noch scharf bremst. Auch der alte Mann bückt sich und gibt dem Jungen ein paar Blätter.
Plötzlich ruft jemand: „Achtung, Ihre Brieftasche!" Im gleichen Moment hält die U-Bahn, die Tür geht auf. Draußen warten eine Menge Leute. Der Junge steht ganz schnell auf und springt hinaus, obwohl immer noch viele Papiere herumliegen, ein anderer läuft hinterher. Dann drängen schon die Leute herein, das Piepsignal ertönt, und die Türen gehen wieder zu. Wir sehen uns gegenseitig an, einige haben noch Blätter in der

Hand, einige schütteln den Kopf. Was war denn das für eine Aktion?

Plötzlich schiebt sich jemand durch die Menge, ein junger Mann, klopft dem alten Herrn auf die Schulter und sagt ganz aufgeregt zu ihm:

„Ihre Brieftasche, ich glaube, er hat Ihre Brieftasche gestohlen!" Der Alte sieht ihn nur verständnislos an, tastet an seine Brust, ohne den jungen Mann aus den Augen zu lassen und greift dann in seine Hosentasche.

Silvia nippt kurz an ihrem Kaffee.

„Nichts", fährt sie fort, "die Brieftasche war weg. Der andere Typ, der auch so schnell ausgestiegen ist, war der Komplize. So einfach geht das: Der eine macht dieses Theater mit den ver- dammten Papieren, der andere sucht sich in dem Chaos ein leichtes Opfer aus und schon ist es passiert."

Wieder schüttelt sie den Kopf.

„So eine Schweinerei. Und ausgerechnet der arme alte Mann. Diese verdammten Banden!"

„Ja", sage ich, „man hört ja immer wieder etwas, aber diese Sache ist besonders fies."

Silvia kann sich nicht beruhigen. Aber das Erzählen tut ihr gut. Die Geschichte muss raus, ganz raus.

„Jürgen hatte sein Handy dabei und hat die Polizei angerufen. Aber der Polizist war total unfreundlich und hat nur gesagt, der alte Herr müsste vorbeikommen und eine Anzeige erstatten. Dann würde man ein Protokoll aufnehmen. Mehr könnte man nicht tun. Er sagte ihm die Adresse der Polizei. Irgendwo in Kreuzberg."

„Ja", sage ich, "die kenne ich auch."

Silvia sieht mich an, ganz verzweifelt.

„Aber der alte Mann hatte doch keine Ahnung. Er war aus einem Dorf und kannte sich überhaupt nicht aus in Berlin.

Null.“

Sie zögert einen Moment, dann spricht sie weiter.

„Also haben wir ihm den Weg erklärt, von der U-Bahn aus. Erst einmal ein paar Stationen zurück. Und dann ein Stück zu Fuß. Der Alte nickte die ganze Zeit, aber ich glaube nicht, dass er sich das alles merken konnte. Jürgen half ihm aussteigen, ich sah noch, wie er auf dem Bahnsteig stand und nach rechts und links schaute, ganz verloren.“

Silvia sieht in ihre leere Tasse.

„Natürlich wäre es besser gewesen, wenn ihn jemand begleitet hätte.“

„Ja“, sage ich, „allerdings.“

„Ich weiß“, sagt Silvia leise, „aber wir ..., ich meine, es war doch Jürgens letzter Abend und wir wollten um sechs Uhr ins Kino gehen. Und um halb zehn fuhr schon sein Zug nach Freiburg.“

Wie du willst

(Fortsetzung einer Liebesgeschichte)

Na also, sagt er, es hat geklappt. Sie haben sogar noch über fünfzehn Minuten Zeit. Der Zug nach Sevilla steht schon da. Er will gleich einsteigen und einen Platz besetzen. Er hat keine Lust, über eine Stunde im Zug zu stehen. Gut, sagt sie, ich werde noch einen Kaffee trinken. Er sieht sie an. Sie könnte den Kaffee auch nachher am Flughafen trinken. Wie du willst, sagt er. Aber beeil dich. Es gibt nur diesen Zug. Der nächste ist schon zu spät.

Er möchte ihren Koffer nehmen, zum ersten Mal seit Tagen. Sie lässt nicht los, ein Koffer mit Rollen, kein Problem. Wie du willst, sagt er, Gleis drei, ich bin ganz vorne. Dann sind wir in Sevilla schneller aus dem Bahnhof raus. Sie nickt.

Vom Café in der Bahnhofshalle aus hat man einen Blick auf die Gleise unten. Sie sieht ihn auf der Rolltreppe hinunterfahren.

Wie du willst.
Wie oft hat er das heute schon gesagt? Fünf Mal, zehn Mal? Wie du willst. Das klingt so großzügig, lässig. Sie weiß, dass es etwas anderes bedeutet: dass er sich nicht mehr entscheiden will, weil er Angst hat, sich zu entscheiden.

Für ihn kommt es nur noch darauf an, dass nichts mehr schief geht. Rückflug nach Berlin, dann ist es geschafft.

Die Reise war seine Idee. Fahren wir einfach weg, hatte er vorgeschlagen. Sie hatte Lust. Sie hat an Bonnie und Clyde gedacht. Raus hier. Ins Auto und einfach los. Am nächsten Tag kam er mit Flugtickets. Last minute. Berlin-Sevilla, Sevilla-

Berlin. Andalusien findet sie auch gut. Aber fünf Tage sind sehr kurz. Länger geht nicht, hat er gesagt. Der Wettbewerb. Einen Tag später muss er schon das Projekt präsentieren. Chefsache.

Wo hat sie das einmal gelesen? Der Unterschied zwischen einem Touristen und einem Reisenden: Der Tourist weiß genau, wann er wieder zurückfährt, der Reisende weiß es nicht.

Manchmal hat sie auf dieser Reise versucht, sich zu erinnern, wie es begonnen hat. Vor drei Monaten. Ihr Praktikum in seinem Architekturbüro. Er ist sehr aufmerksam, freundlich. Ein guter Chef. Sie haben sich sofort gut verstanden. Beruflich. Dann ihre Geschichte. Plötzlich steht er vor ihrer Haustür, mit Skizzen in der Hand. Jemand hat sie nach einer Versammlung liegen lassen. Ob es ihre sind, will er wissen, ein bisschen so wie der Prinz, der Aschenputtel den verlorenen Schuh probieren lässt. Natürlich hat sie ihn hereingebeten.
Dann ihre Treffen, mittags in einem Restaurant um die Ecke. Heimlich. Romantisch. Die Kollegen brauchen das nicht zu wissen. Seine Einladung zum Abendessen, er kocht hervorragend. Er ist souverän, witzig. Sie haben viel gelacht.

Wo ist sein Humor jetzt? Wo ist seine Souveränität?

Er fühlt sich nur sicher, wenn er etwas erklären kann. Im Büro hat er ihr viel erklärt. Das war auch gut so. Sie hat wirklich eine Menge gelernt.
In der Kathedrale in Sevilla spricht er über das römische Straßensystem, vor der Don-Juan-Statue im Murillo-Park gibt er einen kurzen Überblick über die Reconquista. Später, in einem Café, redet er über Globalisierung und zeichnet ihr ein Schema auf eine Serviette. Ich unterhalte mich gerne über sol-

che Sachen, sagt er lächelnd und legt seine Hand auf ihr Knie.

Es sind meistens keine Unterhaltungen, sondern Vorträge.
Wenn es keine Vorträge sind, dann sind es Interviews. Fragen
zu einem bestimmten Thema. Wie findest du ...? Was denkst du
über ...?

Was er überhaupt nicht mag: Oberflächlichkeit. Er sucht sie
überall und findet sie überall. Gleich ein Stempel drauf: oberflächlich. Die Touristen hier findet er oberflächlich. Die meisten
Kollegen in Berlin findet er nett, aber oberflächlich.

Seine Vorträge und Interviews sind eine Art Opposition zu dieser Oberflächlichkeit. Wie findest du ...? Was denkst du über ...?
Entweder ist er völlig begeistert oder völlig dagegen. Was er
nicht gut findet: keine Meinung zu haben.

Er findet sie zu bescheiden.
Sie will in ein einfaches Hostal, eines mit diesen schönen
Patios. Er lächelt, legt seine Hand auf ihre Schulter und geht
weiter. In seinem Reiseführer ist eine Hotel- und
Restaurantliste. Ein bisschen Komfort kann man schon verlan-
gen.

Er scheint alles so in Ordnung zu finden. Die Reise gefällt ihm
ganz offensichtlich.

Sie spricht ein bisschen Spanisch und wechselt manchmal mit
den Kellnern ein paar Sätze. Sie freut sich über die
Komplimente, sie mag diese Art von Freundlichkeit. Er findet
sie oberflächlich. Außerdem geschäftstüchtig. Die wollen nur
Trinkgeld, sagt er.

Was er auch nicht mag: Schweigen. Schweigen ist ihm peinlich. Seine Angst, wenn niemand etwas sagt: dass sie sich vielleicht gar nichts zu sagen haben. Ihre Beziehung könnte oberflächlich sein. Er versucht, jede Stille mit Worten zu stopfen.

Sie redet am Morgen nicht gerne. Sie braucht Zeit aufzuwachen. Kaffee trinken, in den Tag kommen. Er hält das für schlechte Laune. Was ist los?, fragt er. Oder: Ist was? Oder: Hast du was? Sie hat nichts. Sie will nur in Ruhe dasitzen, auf dem Platz, in der Morgensonne.

Zu Hause ist sie morgens meistens allein.

Sie kauft manchmal eine spanische Zeitung und liest sie beim Frühstück. Er kann kein Spanisch. Spanische Zeitungen sind fast wie Bücher. Man kann sie nicht teilen.

In Berlin hat er nie gefragt: Hast du was?

Sie raucht. Er raucht nicht. Wenn seine Kaffeetasse leer ist, hat er nichts mehr zu tun. Er blättert im Reiseführer, den er schon am Abend vorher gelesen hat. Sie sitzen nicht zusammen im Café, sondern er wartet am gleichen Tisch.

Was ist anders als in Berlin? Was hat sich verändert?

Er ist nicht hier, um zu frühstücken.

Seine Sorge, sein Glück: dass alles klappt.
Hat doch gut geklappt. Er freut sich, dass in dem Hotel aus dem Reiseführer noch ein Zimmer frei ist, er ist begeistert,

wenn er eine Straße nach dem Stadtplan sofort findet. So, das hätten wir geschafft. Scoutfreuden. Aufgabe gelöst.

Manchmal steht er auf und geht hinein, um zu bezahlen. Einmal hat ihm der Kellner wahrscheinlich falsch rausgegeben. Vier Euro zu wenig. Er hat es zu spät bemerkt. Außerdem ist er nicht ganz sicher. Das passiert mir nicht mehr, hat er gesagt.

Sie kann nichts dafür, dass es deutsche Zeitungen erst nachmittags gibt.

Hat er sich verändert?

Er fotografiert viel. Manchmal bittet er jemanden, ein Bild von ihnen zu machen. Sie in den Palastgärten, sie unter der Giralda. Fotos als Beweise. Sie waren da. Zusammen.

Es gibt Orte, an denen sie gerne alleine ist.

Und? Wie findest du es? Plötzlich steht er hinter ihr. Er zitiert aus dem Museumsführer. Er gibt ihr ständig Zeichen. Sie soll herkommen. Sie muss das Bild unbedingt aus dieser Perspektive ansehen. Ob ihr etwas auffällt? Ihr fällt nichts auf. Sie findet das Bild nicht einmal besonders interessant. Pass mal auf, sagt er, schau genau hin. Seine Hand auf ihrer Schulter. Seine Erklärungen. Wieder eine Lektion.

Er will die Schönheiten von Andalusien mit ihr teilen, sagt er. Aber sie teilen nichts. Er drängt ihr Worte auf.

Sie waren in Berlin nie zusammen in einem Museum.

Eine finstere Bodega. Nur ältere Männer an der Theke. Die
Tische sind klebrig. Willst du hier bleiben?, fragt er. Sie nickt.
Er gibt dem Kellner ein Zeichen, er soll den Tisch abputzen.
Das kann man ja wohl verlangen, sagt er.
Sie dreht eine Zigarette. Neugierige Blicke. Wollen Sie eine?,
fragt sie. Die Männer zögern, zwei oder drei nicken. Sie reicht
die Zigarette über den Tisch und dreht weiter. Kurz darauf ste-
hen zwei Liköre vor ihnen. Das haben wir nicht bestellt, sagt er.
Die Männer an der Bar grinsen. Sie trinkt, er trinkt nicht.

Abends führt er sie in ein gutes Restaurant aus seinem
Reiseführer. Sie will die Karte übersetzen, aber er winkt ab. Er
möchte nichts von ihrem Spanisch, mit dem sie morgens ihre
Zeitungen liest und nachmittags klebrige Liköre trinkt. Sie be-
stellt Seeteufel, er will einen anderen Fisch. Sie bekommt
Seeteufel, er bekommt keinen Fisch. Was er bestellt hat, ist ein
Fleischgericht. Das Lokal ist sehr teuer. Viel teurer, als in seinem
Reiseführer steht.

Spätabends im Hotelzimmer. Sie hat noch Lust auszugehen.
Auf ein Glas Wein oder einfach nur spazieren. Er liegt auf dem
Bett und schüttelt den Kopf. Jetzt will er Zeitung lesen. Sie setzt
sich auf den Balkon, und schaut auf die Straße hinunter. Er
bietet ihr einen Teil der Zeitung an, Politik oder Kultur. Sie
lehnt ab. Er liest ein paar Artikel laut vor. Wie findest du das?,
fragt er ab und zu. Einmal sieht er zu ihr herüber: Du hörst ja
gar nicht zu.

Sie haben nicht den gleichen Rhythmus.

Was gut sein kann: dass ihm die Reise so gefällt.

Er ist vorsichtig geworden. Er spricht weniger. Seine Rolle jetzt: der kritische Experte. Man muss nicht alles toll finden. Kurze Statements und Kommentare. Sie braucht nicht zu antworten. Der Kaffee ist plötzlich gar nicht so gut. Eigentlich gar nicht so gut, das sagt er jetzt öfter. Sie findet den Kaffee wie gestern.

Beim Zahlen passt er jetzt genau auf.

Er meint, sie könnte ein bisschen anspruchsvoller sein. Er lächelt, wenn ihr der einfache Hauswein in einer Bar schmeckt. Er schaut auf das Etikett und findet sie rührend. Er ist nicht mehr in dem Alter, wo man jeden Fusel trinken kann. Das Leben ist zu kurz für schlechte Weine. Der Satz gefällt ihm.

Was er ihr nicht verzeiht: dass sie genießen kann.

Was ihm bleibt: sich zu distanzieren.

Flamenco auf der Straße. Improvisiert. Eine schöne Szene. Er schüttelt den Kopf. Er ist da verwöhnt. Er hat einmal in Madrid eine echte Flamenco-Show gesehen. Seitdem weiß er, was Flamenco ist.

Er hat ihr in Berlin nie beim Schminken zuschauen müssen. Sie braucht lange.

Wieder ein Restaurant aus seinem Reiseführer. Er lässt sich einen Weißwein empfehlen. Damit du mal einen richtigen Wein kennen lernst. Die Flasche kommt in einem Kübel, mit Serviette. Der Kellner schenkt ein. Er probiert, nickt mit gespitzten Lippen und zwinkert ihr zu: Das ist ein guter Tropfen. Auch der Fisch ist hervorragend. Sie unterhalten sich gut, er ist

ganz in seinem Element, ein versöhnlicher Abend.
Später holt er die Flasche aus dem Kübel, sein Kennerblick.
Auch sie sieht das Etikett, der gleiche Wein wie in der Bar, er
runzelt die Stirn und lässt die Flasche zurückgleiten.

In Berlin wohnen sie nicht zusammen. Sie haben sich getroffen,
wenn sie Lust hatten. Einen Abend, eine Nacht, und danach ist
jeder seines Weges gegangen.

Abends im Hotel liest er wieder Zeitung, aber er liest nicht
mehr vor. Nur zwei oder drei Schlagzeilen.

Er ist jetzt nicht mehr kritisch, er kritisiert jetzt. Er ist gereizt.
Der Kaffee ist nicht nur schlecht, er ist plötzlich auch teuer. Er
vergleicht die Preise mit Berlin. Wahnsinn, findest du nicht?
Sein neues Lieblingswort: Preis-Leistungs-Verhältnis. Das Wort
hat sie in Berlin nie von ihm gehört. Jetzt benutzt er es beim
Kaffee, bei ihrer Sonnencreme und beim Eintritt in die Casa de
Pilatos. Vier Euro, eigentlich sollte man sich das nicht gefallen
lassen.

Warum sagt er nicht einfach ‚zu teuer'? Oder noch besser:
Warum ist ihm das nicht einfach egal?

Auch die Zugfahrt nach Córdoba findet er teuer. Ein AVE,
Luxuszug mit Sonderzuschlag. Nur drei Stunden nach Madrid.
Er will aber nicht nach Madrid. Er will nur nach Córdoba. Der
nächste normale Zug fährt in fünfzig Minuten. Er hat keine
Lust, fast eine Stunde zu warten. Aber er holt sich gleich den
Plan für die Rückfahrt morgen. Das passiert ihm nicht mehr.

Die Sitze findet er unbequem. Kein Vergleich zum ICE in

Deutschland. Jemand raucht im Nichtraucherabteil. Man sollte sich das nicht gefallen lassen.

Hat er sich wirklich so verändert?

Dann, in Córdoba, die Katastrophe. Die Mezquita, der Höhepunkt ihrer Reise, ist für drei Tage geschlossen. Restaurierungsarbeiten. Noch bis übermorgen. Bei der Touristeninformation in Sevilla hat ihnen das niemand gesagt. Er hält das für einen Skandal. Eine Art Verschwörung. Damit die Touristen trotzdem kommen. Córdoba ohne Mezquita. Natürlich wären sie in Sevilla geblieben. Oder nach Granada gefahren. Er will sich das nicht gefallen lassen. Wenn morgen in Sevilla vor dem Rückflug noch Zeit ist, will er sich beschweren.

Am liebsten würde er gleich zurückfahren. Er sieht auf den Fahrplan. Aber die Koffer stehen schon im Hotel. Und sie würde gerne die Stadt sehen.

Er hat sich nicht verändert. Was sich verändert hat, ist die Situation. Sie sind auf Reisen. Ständig Entscheidungen, nirgends Garantien.

Er sieht nicht mehr die Stadt, er sieht nur noch ihre Mängel. Er ist nicht mehr bereit, irgendwas irgendwie schön zu finden. Die Altstadt von Córdoba findet er nicht malerisch, sondern ungepflegt und schmutzig. Der Platz könnte schön sein, aber der Neubau an der Ecke stört ihn.

Auf Reisen ist man Tag und Nacht zusammen. Man sieht sich die ganze Zeit zu, man beobachtet sich. Kaum eine Gelegenheit, sich zu trennen. Nirgends ein Ort, an dem man sich voneinander ausruhen kann.

Anfangs hat er noch gesagt: ‚der Typ', dann hat er öfter von
‚den Spaniern' gesprochen und jetzt sagt er nur noch: ‚der
Spanier', und schüttelt den Kopf.

Keine Gegenstände, keine Rituale, die voneinander ablenken.
Keine Freunde, keine Bekannten, die diese Enge irgendwie
lösen.

Im Café ist er jetzt nicht nur vorsichtig, er lässt auch kein
Trinkgeld mehr liegen. Maßnahme gegen die Verschwörung:
Strafe für die vier Euro in Sevilla, Protest gegen die geschlosse-
ne Mezquita.

Was sich verändert hat: der Abstand. In Berlin hatten sie den
richtigen Abstand. Jetzt sind sie sich zu nahe, viel zu nahe.

Seine neue Rolle: eine Art Inspektor. Qualitätskontrolle. Reisen
zur Aufdeckung von Defiziten eines Landes. Er entdeckt: kaput-
te Fernseher, kalte Suppen, Bausünden, Wucherpreise.

Er schüttelt den Kopf. Wie findest du jetzt das? Was sagst du
dazu?

Was immer noch sein kann: dass ihm die Reise so gefällt.

Abends im Hotel wieder das Ritual. Er mit der Zeitung auf dem
Bett. Immerhin, er liest ihr nichts mehr vor. Er liest und behält
alles für sich. Sie fragt ihn, ob er noch spazieren gehen will. Er
schüttelt den Kopf. Gut, sagt sie, ich gehe noch ein bisschen
frische Luft schnappen.

Sie läuft um die Mezquita. Leuchtende Größe in der
Dunkelheit. Erhabenheit aus Stein. Tagsüber hat sie das gar
nicht so empfunden. Monumental, aber nichts weiter. Jetzt ist
der Ort verwandelt.
Woran liegt das? Keine Touristen mehr. Vielleicht. Oder: keine
Erklärungen mehr. Stille. Sie geht zweimal um das Gebäude,
dreimal. Niemand hält sie auf, niemand will ihr etwas zeigen.
Dann eine Bar. Viele Leute. Ein Glas Wein an der Theke, als ob
sie auf jemanden warten würde. Aber sie wartet auf niemanden. Sie ist einfach nur froh. Sie muss nichts sagen, nichts antworten. Gar nichts. Nur schauen, über die Tische, in die
Gesichter. Der Kellner lächelt und stellt ihr eine Tapa zum Wein
hin, zum ersten Glas, zum zweiten. Oliven, Calamares. Es
schmeckt so gut. Sie spürt das Unterwegssein. Der alte Zauber.
So könnte Reisen auch sein. Sie vergisst die Zeit.

Zurück im Hotel. Das Zimmer ist schon dunkel. Er sagt nichts.
Sie weiß, dass er nicht schläft.

Am nächsten Morgen würde er am liebsten gleich nach Sevilla
zurückfahren. Sie möchte noch einmal eine Runde drehen und
zu der Brücke hinausgehen.

Wie du willst, sagt er und sieht auf den Fahrplan. Sie fliegen
abends.

Er sagt fast gar nichts mehr. Er kritisiert nicht mehr. Er ist nur
noch misstrauisch.

Was immer noch sein kann: dass ihm die Reise einmal gefallen
wird. Dann, wenn nichts mehr passieren kann. Wenn alles doch

noch gut gegangen ist. Wenn sie endlich Erinnerung ist.

Was er seit dieser Nacht nicht mehr sicher weiß: wo sie steht. Die Verschwörung. Und sie vielleicht auf der Seite der Kellner.

Er sagt nichts mehr und er will nichts mehr. Auch nicht ihre Sonnencreme.

Sein Ehrgeiz jetzt: die Sache durchziehen. Und dann nichts wie weg. Rückzug ohne Verluste. Und morgen sein Projekt.

Nach zwei Stunden hat er einen roten Kopf.

Der Zug, sagt er, wir müssen jetzt aber wirklich zum Bahnhof. Sie nickt.

Sie stellt sich vor: Zurück in Berlin, er erzählt Freunden von der Reise, Fotos: er, sie, beide zusammen. Stressig, aber toll, richtig abenteuerlich, sagt er und sieht zu ihr herüber. Oder?

Er hat immer noch einen roten Kopf von der Reise.

Sie wird ihn nicht verraten.

Blick auf die Gleise. Immer mehr Leute steigen in den Zug ein. Eine ganze Schulklasse. Sie muss jetzt wirklich gehen.

Durchsage. Abfahrt pünktlich. Er kann sich nicht beschweren.

Noch einen Schluck Kaffee. Sie sieht auf die Uhr. Noch zwei Minuten. Sie müsste jetzt sofort gehen.

Er wird sie ansehen. Muss es immer so knapp sein?

Sie steht auf und legt Geld auf den Tisch. Ein Blick auf die Gleise.

Die Mezquita im Dunkeln, die Pension mit dem Patio.

Langsam fährt der Zug an. Die Waggons gleiten vorbei. Sie kann nichts erkennen. Das Café hat einen zweiten Ausgang, direkt auf die Straße.

Sie sieht sich noch einmal um. Der Bahnsteig ist leer.

Welcher Tag ist heute?

Es war ein Sonntag im Dezember, die Sonne schien und ich hängte gerade die Wäsche auf. Ich weiß, Sonntag ist dafür nicht der richtige Tag. Man sollte Besseres zu tun haben, vor allem, y wenn die Sonne scheint. Aber so sind die Sachen schnell trocken. Und wenn ich sowieso am Schreibtisch sitze, dann kann ich auch gleich waschen.

Als der Lärm der Waschmaschine aufgehört hatte, war ich froh, einen Grund zu haben, die Arbeit zu unterbrechen und auf die kleine Dachterrasse zu gehen. Plötzlich das Licht der weißen Wintersonne, viel wärmer, als man drinnen gedacht hatte. Und endlich diese Ruhe über den Dächern. Denn unter der Woche ist das Haus eine laute Baustelle, seit Monaten wird hier renoviert. Herrlich, dachte ich, nachher werde ich draußen essen. Durch das Eisengeländer bemerkte ich meine alte Nachbarin. Frau Zach saß, barfuß in schäbigen Pantoffeln, in der Sonne und hatte ihr Nähzeug auf dem Schoß. Ich sah sie nicht oft. Wenn ich ihr auf der Terrasse oder im Treppenhaus begegnete, blickte sie mich immer wie überrascht an und grüßte nur kurz zurück.

Ich habe sie immer nur mit ihrer Katze reden hören, mit ihrer Katze und mit ihrem Mann. Fast jeden Morgen weckte mich ihre Hexenstimme durch das offene Fenster, immer mit den gleichen Worten: „Na, meine Süße, hast du eine Maus gefressen?"

Sie sprach von Mäusen, die ich hier oben nie gesehen habe und bemühte sich dabei vergeblich, ihrer heiseren Stimme etwas Zärtliches zu geben.

Mit ihrem Mann war es anders gewesen. Nichts mehr von ihrem Katzenflüstern. Als Nachbar hatte man den Eindruck,

dass sie sich nur anschrien. Abends hörte ich oft sein choleri-
sches Brüllen, dann ihr lautes Keifen: „Was willst du, Walter?"
Ab und zu schallte seine Stimme auch durch das Treppenhaus,
wenn er unten betrunken in der Tür stand und von ihr abge-
holt werden musste. Er rief sie ungeduldig über fünf
Stockwerke: „Julia, Julia!". Nach ein paar Sekunden öffnete sich
dann die Tür nebenan: „Ich komme ja!" und schon klapperte
sie die Stufen hinunter.
Auch Herrn Zach hatte ich ab und zu im Treppenhaus getroffen, wenn er eine Pause machte, schwer atmend, beide Hände
am Geländer. Er grüßte zuerst freundlich und begann dann zu
fluchen, auf seine Beine und auf die Ärzte und vor allem auf
den neuen Aufzug, der immer noch nicht funktionierte.
Vor vier Monaten musste Herr Zach dann ins Krankenhaus,
auch sie war plötzlich weg.
Irgendwann sah ich sie dann wieder auf der Terrasse, alleine. Er
sei gestorben, erzählten die Nachbarn. Ein paar Tage später, ich
erinnere mich noch genau, fuhr der Aufzug zum ersten Mal.

Wahrscheinlich war sie froh, dass er nicht mehr da war, dachte
ich mir, während ich sie nun so friedlich in der Sonne sitzen
sah. Sie musste gelitten haben.
„Guten Tag", sagte sie, als sie mich bemerkte, „schönes Wetter
heute, nicht wahr?"
„Ja", antwortete ich, überrascht von diesem milden Satz, offenbar wollte sie sich ein bisschen unterhalten.
„Da wird die Wäsche schneller trocken", fügte ich hinzu, weil
mir nichts anderes einfiel. Sie schaute kurz herüber und blickte
auf das erste Hemd, das nass an der Leine hing.
„In zwei Stunden wird alles trocken sein", sagte sie und beugte
sich wieder über ihre Arbeit.
Etwas hatte sich verändert, fiel mir auf. Ihre Stimme war nicht

mehr unangenehm, ein Ton, den ich noch nie von ihr gehört hatte. Das war weder die Katzenstimme noch die Walter-Stimme.

Wieder sah sie von ihrem Nähzeug auf.

„Sagen Sie mal, welcher Tag ist heute? Samstag oder Sonntag?"

„Sonntag", antwortete ich.

„Sonntag?", fragte sie zurück, „ganz sicher Sonntag und nicht Samstag?"

Die Gute, dachte ich, sie will tatsächlich ein bisschen plaudern.

„Sonntag", wiederholte ich, „deshalb ist es doch so still im Haus. Die Arbeiter sind nicht gekommen. Und vorhin haben die Kirchenglocken geläutet. Haben Sie die nicht gehört?"

„Ja, ja", lächelte sie und schüttelte dabei den Kopf, „und ich war ganz sicher, es sei Samstag. So was."

Warum habe ich nie mit ihr gesprochen?, fragte ich mich. Immer nur ein kurzer Blick und „Guten Tag" und dann war ich froh, dass sie gleich wieder wegschaute oder weiterging. Sie freut sich doch, ein bisschen zu plaudern, jetzt, wo sie allein ist. Und sie hätte sich auch früher gefreut, als sie alleine war mit diesem Mann.

„Eigentlich sollte man an so einem Tag nicht arbeiten, sondern raus und spazieren gehen, nicht wahr?", sagte ich.

Keine Antwort. Vielleicht hatte sie mich nicht richtig verstanden oder gar nicht gehört, dachte ich und griff wieder in den Wäschekorb.

Dann, nach einer Weile, sagte sie plötzlich leise: „Ja, ja, Sie haben schon Recht, spazieren gehen, aber es gibt Arbeit, immer gibt es Arbeit."

Sie deutete auf den Kleiderhaufen neben sich, blickte dann wieder kurz zu mir: „Wissen Sie, ich habe mein Leben lang viel gearbeitet."

Also doch, dachte ich, man konnte sich mit ihr unterhalten.

Man musste nur Geduld haben und zuhören.

„Was haben Sie denn früher gemacht, wenn ich fragen darf?",
erkundigte ich mich, ließ ein Wäschestück wieder in den Korb
fallen und trat einen Schritt näher an das Geländer heran.

„Ich war Friseurin", antwortete sie, ohne aufzublicken, „unten
in der Straße, vorne am Eck, viele Jahre lang."

Ich versuchte mir das vorzustellen. Die Straße hier in der
Altstadt, der jetzt leer stehende Laden vorne am Platz. Was
musste sie hier alles erlebt haben. Sie hatte bestimmt viel zu
erzählen. Und sie freute sich wahrscheinlich, wenn man sich ein
bisschen dafür interessierte. Ich hatte sie nie etwas gefragt, ich
hatte nie mit ihr geredet. Ich hatte ihr nicht einmal zum Tod
ihres Mannes kondoliert.

Ich könnte sie einmal auf einen Kaffee einladen, überlegte ich,
oder vielleicht wäre ihr lieber, wenn ich rüberkäme und mich
einfach zu ihr setzte.

„Sagen Sie mal", begann sie wieder.

„Ja, bitte", sagte ich schnell und trat noch näher an das
Geländer.

Sie legte Nadel und Faden beiseite und musterte das geflickte
Kleidungsstück.

„Sagen Sie mal, welcher Tag ist denn heute?"

Ich zögerte einen Moment.

„Sonntag", sagte ich dann, „es ist Sonntag."

Sie sah mich ungläubig an.

„Sonntag, sagen Sie? Wirklich?"

„Ja", sagte ich noch einmal, „ganz bestimmt."

„So, so", murmelte sie und hielt den grauen Stoff einen
Augenblick ins Sonnenlicht.

Jetzt sah ich, dass es die alte Jacke ihres Mannes war.

„Und ich habe gedacht, heute sei Dienstag", sagte sie leise und
legte die Jacke auf den Haufen.

Die Nachricht

Er sah auf die Uhr. Halb sechs. Er würde spät kommen. Sie würde zu Hause auf ihn warten und ihn fragend ansehen. Wo bist du gewesen? Sie hatte ihn nicht anrufen können, er hatte sein Handy nicht mitgenommen. Sie würde auch fragen, warum er sein Handy nicht mitgenommen hatte.

Er musste etwas tun, anrufen, jetzt sofort und sagen, dass er sich verspätet hätte. Das würde sie beruhigen.

Er sah eine Telefonzelle, ging hinein und wählte. Während es klingelte, überlegte er, was er sagen sollte.

Einkaufen? Aber was sollte er eingekauft haben?

Sport? Dann würde er jetzt anders aussehen, vor allem hätte er eine Tasche unterm Arm, wenn er nachher nach Hause käme.

Sie nahm nicht ab. Er wartete gespannt. Mit jedem Klingeln wurde es unwahrscheinlicher, dass sie plötzlich dran wäre. Vielleicht war sie noch einmal kurz zum Supermarkt oder drüben bei Sarah.

Endlich ging der Anrufbeantworter los. Erleichtert atmete er auf.

Ihre freundliche Stimme mit diesem freundlichen Text: Wir sind nicht zu Hause, Sie können aber gerne eine Nachricht hinterlassen ...

Na also, dachte er. Er spürte die Lust, dieser Stimme einfach zu glauben. Sie sei so guter Laune und würde sich über seinen Anruf wirklich freuen.

„Ich bin es, Liebling", hörte er sich sagen, „ich bin noch unterwegs, ich ... ich habe bei Ivo vorbeigeschaut und bin wieder mal hängen geblieben. Du weißt ja, er fährt morgen für ein paar Wochen weg und da haben wir uns ein bisschen verquatscht. Ich bringe ihn jetzt noch zum Theater und dann komme ich. Bis gleich."

Er drückte auf die Gabel, behielt den Hörer noch einen
Moment in der Hand.

Diese verdammten Nachrichten. Man sieht niemanden, hört
niemanden, aber plötzlich soll man sprechen und jedes Wort
wird registriert und aufgenommen. Gnadenlos.

Er lehnte sich an die Glaswand, klopfte mit dem Hörer gegen
die Hand.

Ivo. Ivo. Vielleicht war das gar nicht so schlecht. Ein guter
Freund von beiden, aber keiner von denen, die sie sofort anrufen würde, um nachzufragen, ob er tatsächlich da gewesen war.
Außerdem stimmte es wirklich, dass Ivo morgen auf Tournee
ging. Für ein paar Wochen kaum erreichbar. Genau das, was er
jetzt brauchte.

Er legte den Hörer auf und ging weiter. Die Geschichte war
sogar sehr gut. Er musste keine Alibi-Einkäufe mehr machen, er
brauchte sich keinen Kinofilm auszudenken. Nichts. Er hatte
sogar noch eine gute halbe Stunde Zeit. Schließlich musste er
Ivo zum Theater bringen.

Noch ein Bier, dachte er, am besten in irgendeiner verqualmten
Bar, um sich den Duft des Nachmittags wegzuräuchern, um
ganz nach Männernachmittag zu riechen.

Als er eine knappe Stunde später nach Hause kam, war er den
Ablauf des Nachmittags noch ein paar Mal durchgegangen. Er
hatte sogar probiert, bei Ivo anzurufen. Keine Antwort. Gut so.
Alles war dunkel, sie war noch nicht zu Hause. Er überlegte
einen Moment, die Nachricht zu löschen, vielleicht war sie gar
nicht nötig. Aber er ließ es. Wenn sie drüben bei Sarah saß,
wusste sie genau, dass er erst jetzt zurückgekommen war. Er
ging in die Küche, schenkte sich ein Glas Wein ein, setzte sich
in einen Sessel im Wohnzimmer und schaute aus dem Fenster.
Dämmerung. Leuchtendes Abendrot.

In diesem Augenblick hörte er den Schlüssel in der Haustür.
Gut, dachte er, dass er zuerst da war, ein psychologischer
Vorteil. Aber wahrscheinlich hatte sie wirklich bei Sarah auf ihn
gewartet oder - einen Moment lang erwog er auch das - viel-
leicht war sie ihm schon länger gefolgt.
Unsinn, dachte er und drehte sich langsam um.
Er sah, wie sie im Korridor ihre Jacke auszog und sich vor dem
Spiegel mit beiden Händen durch die Haare strich.
„Hallo", sagte er.
Sie fuhr herum.
„Mein Gott, hast du mich erschreckt! Ich dachte, dass niemand
zu Hause wäre. Warum hast du denn kein Licht gemacht?"
„Ich bin auch erst gerade nach Hause gekommen", sagte er. Er
wollte versuchen, so lange wie möglich bei der Wahrheit zu
bleiben, „und da habe ich mich erstmal hingesetzt."
Sie kam ins Wohnzimmer, beugte sich über ihn und gab ihm
einen Kuss auf die Stirn.
„Schön, dass du da bist."
Sie sah aus dem Fenster.
„Was für ein herrliches Abendrot!"
Sie streifte ihre Schuhe ab und ließ sich aufs Sofa fallen.
„Ein Glas Wein, Liebling?", fragte er.
Sie sah sein Glas auf dem Tisch.
„Ja, gerne", antwortete sie.
Er stand auf und ging in die Küche.
„Hast du schon Hunger?", rief sie ihm nach.
„Nein, eigentlich noch nicht", antwortete er, während er ein
Glas einschenkte.
„Gut", sagte sie, „ich auch nicht. Ich kann ja später eine Pasta
machen."
Er brachte das Glas herein, reichte es ihr.
„Wie du willst. Wir können uns aber ruhig Zeit lassen. Und die

Pasta kann auch ich machen."

„Lass nur", sagte sie, „das mache ich gerne. Aber noch nicht gleich."

„Absolut einverstanden."

Sie stießen an, sahen sich kurz in die Augen. Kein Argwohn, kein Vorwurf. Er lehnte sich beruhigt zurück. Warum malte er immer den Teufel an die Wand? Diese Visionen. Sie mit verschränkten Armen in der Tür. Wo bist du gewesen? Ich weiß alles. Ihre Gelassenheit, verwandelt in Bitterkeit.

„Wie war dein Tag, Schatz?", hörte er sich fragen. Er biss sich auf die Lippen. Warum fing er damit an, heilfroh, dass sie noch nichts gesagt hatte? Aber irgendwie, es musste raus. Warum künstlich vom Tag ablenken? Sie sollte erzählen und zwischendurch würde er etwas von sich erwähnen, Ivo, das Theater und die Sache war erledigt.

„Ich war unterwegs, in der Altstadt", antwortete sie.

Er drehte sich herum, blickte in den schon dunklen Korridor.

„Aber du hast gar nichts gekauft", sagte er.

„Nein", lächelte sie, „ich hab mich mal zurückgehalten. Einfach gebummelt."

„Und das bei der Kälte?"

„Ja", sagte sie, „ich war dann Kaffee trinken."

„Kaffee trinken? Ganz allein?"

„Nein, nicht allein." Sie tat geheimnisvoll.

„Mit Sarah, schätze ich mal."

Sie schüttelte den Kopf.

„Die ist gar nicht da. Sie sind aufs Land gefahren. Wir hätten übrigens mitkommen können. Sie haben uns eingeladen."

„Aber du hast abgelehnt."

„Allerdings, ist dir doch recht, oder?"

„Natürlich, ich hätte keine Lust gehabt. Und keine Zeit."

„Das dachte ich mir."

Einen Augenblick sagten sie beide nichts.

„Mit wem warst du nun Kaffee trinken?", nahm er das Gespräch wieder auf.

„Mit Ivo", sagte sie.

„Mit Ivo?"

„Ja", sagte sie, „ich habe ihn unterwegs angerufen. Ich dachte, dass du vielleicht dort wärst."

Die Nachricht!, durchfuhr es ihn. Die verdammte Nachricht!

„Außerdem wollte ich ihm alles Gute für die Tournee wünschen. Er hatte noch ein bisschen Zeit, also haben wir uns zu einem Kaffee verabredet. Wir wollten dich noch anrufen, aber im Café haben wir es ganz vergessen. Tut mir leid, wirklich."

Die Nachricht, die verdammte Nachricht.

„Er fährt morgen und heute Abend ist er im Theater."

„Ja", sagte er, „ich weiß."

Er beugte sich vor, fuhr sich mit den Händen über die Wangen. Sie wollte trinken, setzte das Glas aber wieder ab.

„Ist was los mit dir? Ich meine, ich kann doch wohl mit Ivo Kaffee trinken gehen. Du wirst doch nicht eifersüchtig sein?"

„Nein", sagte er leise, „natürlich nicht."

„Das würde ich auch meinen", sagte sie bestimmt und nahm einen Schluck. Dann stand sie auf und machte Licht.

„Nein", flüsterte er, „bitte nicht."

„Wie du willst", sagte sie verwundert und löschte das Licht wieder.

Er wollte aufstehen, ihr irgendwie zuvorkommen, aber sie stand schon neben dem Telefon.

„Hast du die Nachrichten schon abgehört?", fragte sie.

Er sah zum Fenster hinaus. Nur noch ein roter Streifen am Horizont, sonst Dunkelheit.

„Nein", sagte er, „doch ..., ich meine ..., es ist nichts, ..."

Sie beugte sich über den Anrufbeantworter.

„Da sehe ich aber eine „Zwei" leuchten."
„Das ist nichts", sagte er schnell, „wirklich nichts."
„Na, ich höre es noch einmal ab."
Sie drückte den Knopf, er faltete die Hände vor dem Gesicht.
„Sie haben zwei Nachrichten", sagte die sterile Frauenstimme,
„Nachricht Nummer 1, erhalten heute um 17 Uhr 34." Piep.
„Ich bin es, Liebling. Ich bin noch unterwegs, ..."
Er wartete auf irgendetwas, aber es blieb ganz still. Er wartete
auf ihre Schritte, auf einen Schrei, darauf, dass ihr Glas auf
dem Boden zerbrach. Aber er hörte nichts, nicht einmal, dass
sie das verdammte Ding wenigstens abschaltete. Sie stand hinter ihm, irgendwo in der Dunkelheit und es war, als ob beide
den Atem anhielten. Er wagte nicht sich umzudrehen. Stur
starrte er nach draußen, auf den letzten Streifen Rot.
Piep, piep, piep, kam es vom Band und dann in die Stille
hinein:
„Nachricht Nummer 2, erhalten heute um 18 Uhr 10." Piep.
„Hallo, ihr zwei Hübschen! Hier spricht Ivo. Es ist schon
Samstagnachmittag, kurz nach sechs. Ich habe es leider nicht
mehr geschafft, euch früher anzurufen. Ich wollte mich aber
wenigstens noch verabschieden. Ich fahre morgen früh. Ich
melde mich wieder, wenn ich zurück bin, so in sechs Wochen.
Oder mal zwischendurch. Bis dann!"

Frau Falkner

Ich war wieder einmal zu Hause, in der kleinen Stadt, wo ich aufgewachsen bin. Zu Besuch bei meiner Familie, wie jeden Sommer. Ich freue mich immer auf diese Reise. Ein herzliches Wiedersehen, das gute alte Haus, der stille Garten.

Dabei hat sich jedes Mal etwas verändert. Das Haus an der Ecke steht nicht mehr, jemand ist weggezogen, der alte Nachbar ist gestorben. Kein Wunder, schon wieder ein Jahr vorbei, die Zeit vergeht.

Auch wenn ich durch die Stadt gehe, merke ich das. Viele Plätze von früher gibt es nicht mehr, das altmodische Kino ist jetzt eine Whiskybar, das gemütliche Antiquariat eine schicke Buchhandlung. In meinem Lieblingscafé sitze ich unter jungen Menschen, die mich anblicken wie einen Fremden: Irgendwie haben sie ja Recht, der Ort gehört jetzt ihnen.

Bekannte treffe ich auf der Straße immer seltener, ab und zu mal einen ehemaligen Schulkameraden. Man erkennt sich und grüßt verlegen, weil man den Namen vergessen hat. Manchmal reicht es für einen Kaffee, für ein paar Nachrichten über Mitschüler und dann tauscht man die Adressen aus, auch wenn man sich nie anrufen wird.

Ein paar alte Freunde gibt es auch noch. Man trifft sich, plaudert und trinkt eine Menge, aber nicht mehr die ganze Nacht durch, so wie früher. Schließlich warten am nächsten Morgen schon der Job, die Familie, das Baby.

Ich genieße diese Tage, unbeschwert, sorglos, planlos. So viel Zeit und keine stressigen Termine. Ich schlafe aus, lese im Garten und unterhalte mich mit den Eltern. Manchmal fahre ich mit dem Fahrrad ins Nachbardorf, um dort mit dem Sohn von Bekannten Tennis zu spielen.

Ich glaube, es war auf dem Rückweg von so einem
Tennismatch. Die Gegend war mir vertraut, hier war meine
Schule gewesen und auch das Schwimmbad. An einer Ampel
musste ich warten. Ich schaute mich um und erkannte einiges
wieder: die Bank, die Bäckerei, die Bushaltestelle.
Und plötzlich war mir, als ob ich sie sehen würde: Frau Falkner,
die Mutter meines besten Schulfreundes. Stand sie nicht dort
an der Haltestelle, wie damals? Ich war zu weit weg, um sie ein-
deutig zu erkennen.
Ich blieb stehen, obwohl die Ampel schon wieder auf Grün
schaltete. Es war nicht die Entfernung, die mich so unsicher
machte. Die Sache war ... sie konnte es gar nicht sein, weil ich
doch genau wusste, dass sie schon gestorben war.
Die Todesanzeige in der Zeitung: Frau Waltraud Falkner.
Witwe. In Trauer: Jürgen Falkner, Sohn, darunter ein paar
andere Namen. Das war im Sommer vor drei oder vier Jahren
gewesen.
Ich erinnere mich daran, dass ich ihn anrufen wollte, um zu
kondolieren. Ich wählte die alte Nummer und legte dann feige
wieder auf.
Es war schon zu lange her, dachte ich, unsere
Jugendfreundschaft. Gleich nach dem Abitur hatten wir uns aus
den Augen verloren. Ich hörte noch etwas von einer langen
Reise, von einem abgebrochenen Studium und dann nichts
mehr. Auch die Schulkameraden wussten nie etwas.
Sie konnte es nicht sein. Ein Auto hupte hinter mir, ich stieg
wieder aufs Rad und fuhr langsam auf die Haltestelle zu. Die
Frau schaute in meine Richtung, die eine Hand über den
Augen.
Genauso wie Frau Falkner damals, montags nach der Schule.
Sie wartete immer auf uns und dann hopp, hopp, Hände was-

chen und zu Tisch.

Es sah so aus, als ob sie wieder da stehen würde. Aber nein, dachte ich, das ist einfach unmöglich. Die Frau wartete nur auf den Bus, den ich schon hinter mir hörte.

Sie war damals Mitte vierzig, überlegte ich weiter, dann wäre sie jetzt Mitte sechzig ..., vergiss es, es hat keinen Zweck, sagte ich mir, pass lieber auf den Verkehr auf.

Plötzlich hörte ich jemanden rufen: Hallo, bleib doch stehen! Ich sah hinüber, sie winkte mir zu, aber in dem Moment kam der Bus, ich musste die Spur wechseln. Der Bus schob sich zwischen uns, hinter mir hupte wieder ein Auto.

Ich blieb einfach stehen, ich wollte jetzt Gewissheit, auch wenn es noch so absurd war. Ich wartete, bis der Bus wieder losfuhr. Die Haltestelle wird leer sein, dachte ich, alle eingestiegen, weg ...

Da stand sie und lächelte.

„Natürlich bist du es", sagte sie, „ich habe mich nicht getäuscht!"

Sie gab mir die Hand.

„Oder muss ich jetzt Sie sagen?"

„Nein", stotterte ich, „natürlich nicht."

„Na, du hättest mich nicht mehr erkannt."

„Nein", sagte ich, „doch, ich war nicht ..."

„Macht auch nichts", lächelte sie, „ich bin alt geworden, aber du...", sie betrachtete mich von oben bis unten, „... du bist auch kein kleiner Bub mehr!"

Natürlich war sie älter geworden, aber immer noch hatte sie dieses fröhliche Gesicht mit den lebhaften Augen, Frau Falkner eben.

Ich wusste nicht, was ich sagen sollte.

„Wir haben oft von dir gesprochen", sagte sie, „erzähl doch mal, was hast du all die Jahre gemacht?"

Ich erzählte, von meinem Studium, von meinem Job im Ausland, zuerst Frankreich und jetzt Spanien.

„Schön", sagte sie, „das gefällt mir, das ist doch immer dein Traum gewesen. Ich erinnere mich noch, du wolltest immer am Meer leben ..."

Mein Gott, was für ein Gedächtnis sie hatte.

„Aber jetzt erzählen Sie mal, wie geht es Ihnen denn?", fragte ich nun zurück.

„Danke", sagte sie, „gut. Es hat sich nicht viel geändert. Ich bin immer noch in der Wohnung oben, zweimal in der Woche arbeite ich drüben in der Bäckerei. Alles in bester Ordung."

„Und Jürgen?", fragte ich gespannt.

„Ach", sagte sie, „dem geht es ganz gut. Der ist erst eine Zeit lang herumvagabundiert, da habe ich mir schon Sorgen gemacht. Aber dann hat er wieder zu seiner Musik gefunden, nicht mehr als Gitarrist, sondern als Tontechniker. In München drüben, da wohnt er jetzt auch. Das macht er gut. Manchmal holen sie ihn sogar für große Produktionen, Filme und so."

„Toll!", sagte ich, „Und? Lässt er sich manchmal blicken?"

„Klar", lachte sie, „meistens am Montag. Da kicken seine alten Fußballfreunde immer noch und er muss natürlich mitmachen. Und dann kommt er zu mir, dreckig wie vor zwanzig Jahren."

„Das klingt gut", sagte ich, „grüßen Sie ihn bitte von mir."

„Mach ich gerne." Sie zögerte.

„Aber warum rufst du ihn nicht selber an? Er würde sich bestimmt freuen!"

Sie sah mich an.

„Und warum kommt ihr nicht nächsten Montag beide zum Mittagessen?"

„Gerne! Ich bin noch bis Donnerstag hier."

„Gut, dann frage ich Jürgen, ob er auch Zeit hat. Am besten, du rufst mich am Sonntag nochmal an. Die Nummer ist noch die

alte."
„Und es gibt Hähnchen mit Pommes frites, wie immer?", fragte ich grinsend.
„Wenn es recht ist."
„Sonst komme ich nicht!"
Sie schüttelte den Kopf.
„Immer noch so frech. Mach, dass du wegkommst!"
Für einen Augenblick nahm sie meinen Kopf zwischen ihre Hände.
„Mensch, du glaubst gar nicht, wie ich mich freue!"
„Ich mich auch", flüsterte ich und umarmte sie einen Augenblick.
„Also, dann bis Sonntag", rief ich und schwang mich aufs Rad.

Musste ich an meinem Verstand zweifeln? Sollte ich mich wundern? Oder durfte ich mich einfach freuen?
Sie war für mich tot gewesen. Ich hatte die Todesanzeige gelesen. Wie konnte ich mich so getäuscht haben? Waltraud Falkner. Sohn Jürgen. Hieß sie nicht Waltraud? Ich war nicht mehr ganz sicher. Für mich war sie immer nur Frau Falkner gewesen. Aber den Namen gibt es hier oft.
Zu Hause fragte ich vorsichtig meine Mutter, sie sah mich nur verwundert an. Sie wusste nichts von einer Todesanzeige.
Seltsam, dachte ich und setzte mich in den Garten.
Da war etwas so weit weg, schien längst verloren und plötzlich sollte es wieder da sein: die gute Stube, der Geruch nach Hähnchen, die karierte Tischdecke, die alten Bilder an der Wand.
Montags hatten wir nachmittags Unterricht und nur eine Stunde Mittagspause, für mich zu wenig, um nach Hause zu fahren. Da hatte Frau Falkner meine Mutter angerufen, ich könnte doch montags immer bei ihnen essen, sie wohnten nur

fünf Minuten von der Schule entfernt. Ein Fest für uns Jungs. Ungeduldig erwarteten wir den Gong, rannten dann übermütig zusammen zu Jürgen nach Hause. Immer war die Zeit knapp. Wir wollten nicht nur essen, wir brauchten auch noch eine Viertelstunde für ein Spielchen im Hof. Elfmeterschießen an die Hauswand. Die wichtigste Sache der Welt!

Plötzlich sollte das alles wieder da sein, die Zeit stehen geblieben, das verlorene Reich wieder da.

Wie war ich gespannt, richtig aufgeregt, das ganze Wochenende lang.

Am Sonntagvormittag rief ich an, ließ das Telefon lange klingeln, aber niemand meldete sich, auch kein Anrufbeantworter. Am Nachmittag probierte ich es noch einmal, nichts. Ich versuchte es noch oft, am Abend und am Montagvormittag, ein paarmal täglich bis zu meiner Abfahrt, aber nichts. Es läutete und läutete und in jedem Läuten spürte ich - unaufhaltsam - die Zeit vergehen.

Die Blaumacherin

Die Glocke läutete zum zweiten Mal über den Schulhof, lange
Gesichter, die Pause war vorbei. Hanna trank ihren Kaffee aus.
Sie sah die Karawanen von Schülern, die wieder auf das
Schulhaus zuströmten. Sie dachte an die Doppelstunde Mathe
jetzt, zögerte, blickte sich um und plötzlich war die
Entscheidung gefallen.
„Ohne mich", beschloss sie, „macht, was ihr wollt, aber ohne
mich."
Sie begann zu laufen, gegen den Strom, rüber auf den
Parkplatz. Es konnte nichts passieren. Wenn jetzt ein Lehrer
kam und etwas sagte, dann hatte Hanna eben Kopfweh und
musste dringend nach Hause. Sie konnte Kopfweh haben, wann
sie wollte. Mit achtzehn war das kein Problem mehr. Morgen
würde sie ins Sekretariat gehen, ein Formular ausfüllen und die
Sache wäre erledigt.
Hanna stieg auf ihr Fahrrad. Sie überlegte kurz, ob sie Tina
Bescheid sagen sollte. Aber Tina würde nicht mitkommen. Sie
war zu brav für solche Sachen. Tina machte nie blau. Sie hätte
da ein schlechtes Gewissen, sagte Tina immer und außerdem
wollte sie den Unterricht nicht verpassen. Schließlich begannen
in ein paar Wochen die Abiturprüfungen.
So weit wollte Hanna gar nicht denken. Da war noch genug
Zeit. Trotzdem war Tina ihre beste Freundin. Ohne sie hätte
Hanna sicher noch mehr Probleme in der Schule gehabt.
Mit Mathe hatte Hanna die größten Schwierigkeiten.
Kurvendiskussion, Wahrscheinlichkeitsrechnung, was sollte der
ganze Quatsch? Französisch, Kunst, Geschichte, das machte
alles einigermaßen Spaß, aber Mathe konnte sie einfach nicht
leiden. Und dann auch noch bei Frau Lutz.
Jede Stunde holte die Lutz jemanden an die Tafel, ließ kompli-

zierte Aufgaben rechnen und gab dann knallharte Noten.
Hanna war zweimal dran gewesen, jedesmal eine Katastrophe.
Heute konnte sie wieder an der Reihe sein.
Nein, dachte Hanna, während sie losfuhr, das muss wirklich
nicht sein. Aber wohin jetzt? Nach Hause konnte sie natürlich
nicht. Ihre Mutter kannte ihren Stundenplan. Hanna wollte
auch gar nicht nach Hause. Das war doch total langweilig.
Nein, lieber in die Stadt, in ein Café, ganz gemütlich. Also,
nichts wie weg hier.

Kurze Zeit später betrat Hanna das Café „Sauer". Das „Sauer"
war ein Geheimtipp für Blaumacher. Es lag genau richtig: nicht
weit von der Schule, aber gut versteckt in einer kleinen
Altstadtgasse. Hanna war schon zwei- oder dreimal dort gewe-
sen, aber nachmittags, ohne die Schule zu schwänzen.
Das „Sauer" war eines dieser Cafés, in die man auch gut alleine
gehen konnte. Man saß auf bequemen altmodischen Sofas, es
gab Zeitungen und man konnte wunderbar Leute beobachten.
Und wenn alle Tische besetzt waren, setzte man sich einfach
irgendwo dazu.
Das Publikum war gemischt, eher jung, viele Schüler und
Studenten, aber Hanna hatte auch schon feine Damen beim
Kaffeekränzchen gesehen oder Rentner, die Schach spielten.
Der ältere Herr, der bediente, war Herr Sauer selbst. Was für
eine Persönlichkeit! In seinem Kellnerfrack wirkte er wie eine
Figur aus einer anderen Zeit. Immer lächelnd, immer freund-
lich, alte Schule. Seine Frau stand hinter der Theke, machte den
Kaffee, schnitt den Kuchen und verkaufte Süßigkeiten. Aus den
alten Boxen kam meistens Opernmusik, nicht gerade Hannas
Geschmack, aber irgendwie passend zu diesem Ort.

Heute war das Café nur halbvoll. Hanna kannte einige Leute

vom Sehen, Schüler von anderen Gymnasien, aber sie wollte sich jetzt nicht unterhalten. Sie bestellte bei Herrn Sauer eine Kanne Tee, schnappte sich eine Zeitung von der Theke und setzte sich an einen freien Tisch. Ihr Blick fiel auf die Uhr an der Wand: fünf vor elf. Sie musste grinsen. Die anderen saßen schon wieder fast eine halbe Stunde bei Frau Lutz in der Klasse. Wahrscheinlichkeitsrechnungen.
„Wie groß ist die Wahrscheinlichkeit, dass ...?"
„Keine Ahnung, Frau Lutz, ist mir auch völlig egal!"

Hanna lehnte sich zurück und schlug die Beine übereinander. Ja, Blaumachen war schon eine feine Sache. Nicht nur, dass man zwei Stunden Mathe weniger hatte. Es war vor allem spannend. Man tat ja etwas Verbotenes und das machte einfach Spaß. Dazu kam natürlich auch ein bisschen Schadenfreude, wenn man sich die lieben Mitschüler vorstellte, die jetzt in der Klasse saßen. Sollen sie doch für ihr Abi pauken, sagte sich Hanna, ich sitze lieber hier und trinke in aller Ruhe einen Tee. Tina würde natürlich wissen, was los war und ärgerte sich jetzt vielleicht, dass Hanna ihr nicht Bescheid gesagt hatte. Vielleicht wäre sie ja doch mitgekommen. Na ja, zu spät. Auch Frau Lutz würde bestimmt merken, dass Hanna heute fehlte. Ausgerechnet heute!
„Wie groß ist die Wahrscheinlichkeit, dass ich Sie heute ausfragen werde?"
„Verdammt groß, aber leider bin ich gar nicht da!"
Diese Lutz! Sie war neu an der Schule, sie war erst zu Beginn dieses Schuljahres gekommen. Noch in Ausbildung, eine Referendarin. Eigentlich noch ganz jung, vielleicht Ende zwanzig. Nicht einmal unsympathisch. Aber irgendwie schon so streng, überhaupt nicht entspannt. Mathe, Mathe und nochmal Mathe. Nichts anderes. Ständig redete sie nur vom Abitur und

dass sie noch viel mehr lernen müssten.

Als ob es im Leben nichts anderes gäbe. Man konnte sich gar nicht vorstellen, dass die Frau mal von etwas anderem sprach und in ihrer Freizeit mal etwas anderes machte.

Der Tee kam, Hanna trank einen Schluck und nahm die Zeitung in die Hand. Sie fühlte sich richtig wohl. Sie las ein paar Artikel aus der Tagespolitik, dann das Feuilleton, schließlich das Theaterprogramm. Ja, das war eine gute Idee, am Wochenende könnte sie mal wieder ins Theater gehen.

Irgendwann sah sie auf die Uhr. Schon fast halb eins! Wie schnell die Zeit vergangen war! Sie hätte noch ewig bleiben können, obwohl es jetzt nicht mehr ganz so spannend war. Seit zwölf Uhr hatten alle frei, jetzt war es kein Blaumachen mehr. Vor allem aber wartete zu Hause ihre Mutter mit dem Essen und wenn sie viel zu spät käme, würde es unangenehme Fragen geben. Also ab nach Hause!

Es passierte, als Hanna gerade zahlen wollte. Sie gab Herrn Sauer, der neben der Tür stand, ein Zeichen. Er sah zu ihr herüber und nickte. Gleich würde er kommen und kassieren. In diesem Moment ging die Tür auf und Frau Lutz stand im Café. Sie blickte sich suchend um. Hanna wollte wegsehen, sie wollte unter den Tisch rutschen, sie wollte im Boden versinken. Aber sie starrte nur auf ihre Lehrerin und in diesem Moment trafen sich ihre Blicke.

Tausend Dinge schossen Hanna gleichzeitig durch den Kopf. Weglaufen, aber wie? Etwas sagen, aber was? Sie tat nichts, überhaupt nichts, sie sah nur hin, in das Gesicht von Frau Lutz. „Hanna, wie wahrscheinlich ist es, dass ich Sie an einem Donnerstagmittag um halb eins in einem Café in der Altstadt beim Blaumachen ertappe?"

„Unwahrscheinlich, Frau Lutz, total unwahrscheinlich, null, null Komma null."

Die Miene der Lehrerin schien sich für einen Moment zu verfinstern, sie kniff die Augen zusammen. Genauso sah sie manchmal in der Klasse aus, wenn jemand vor der Tafel stand und nicht weiter wusste. Aber jetzt waren sie nicht im Klassenzimmer, sondern im Café „Sauer". Und Hanna stand vor einer Aufgabe, die nicht nur schwierig, sondern unlösbar war.

Frau Lutz drehte sich um und ging an dem Mann, der hinter ihr ins Café getreten war, wortlos vorbei nach draußen. Der Mann sah ihr erstaunt nach und folgte ihr zögernd. Langsam schloss sich die Tür hinter ihnen.

Hanna ließ den Kopf sinken. Jetzt war alles aus. Aber wie war das überhaupt möglich? Sie sah noch einmal auf die Uhr. Kurz vor halb eins, na klar, genug Zeit, um hierher zu kommen. Wie dumm von ihr, sie hätte einfach früher gehen müssen.

Das würde Ärger geben, furchtbaren Ärger. Sicher würde die Lutz sofort zum Direktor gehen und der würde Hanna dann zur Rede stellen. Und das war nicht das erste Mal. Wenn sie Pech hatte, konnte sie sogar von der Schule fliegen. Zwei Monate vor dem Abitur! Und das nur, weil sie ein bisschen zu lange hier geblieben war.

Hanna verbrachte zu Hause einen schrecklichen Nachmittag. Ihrer Mutter konnte sie nichts erzählen, die hätte sich nur aufgeregt. Sie wollte mit Tina sprechen, aber die war nicht da. Donnerstag, natürlich, da hatte Tina nachmittags Klavierstunde und abends Volleyballtraining.

Hanna versuchte zu lesen, irgendein Buch, aber sie konnte sich nicht konzentrieren. Sie musste etwas unternehmen. Irgend etwas. Sie überlegte sogar, ob sie nicht bei Frau Lutz anrufen sollte. Sich entschuldigen und sie darum bitten, nicht zum Direktor zu gehen. Sie würde ab jetzt nie mehr fehlen und immer fleißig mitarbeiten.

Hanna hatte schon die Nummer aus dem Telefonbuch herausgesucht und das Handy in der Hand, aber dann erinnerte sie sich an diesen Blick im Café und traute sich nicht mehr.

Sie setzte sich an den Schreibtisch und nahm ihre Mathebücher, vielleicht gab ihr die Lehrerin ja noch eine Chance. Aber nach ein paar Minuten begannen die Zahlen zu tanzen, Hanna verstand überhaupt nichts. Sie klappte die Bücher wieder zu. Es hatte keinen Zweck.

Zum Abendessen holte sie sich ein Brot aus der Küche und ging wieder in ihr Zimmer, ihre Eltern sahen sie staunend an, sagten aber nichts. Hanna legte sich früh ins Bett, ohne einschlafen zu können.

Morgen hatten sie Mathe gleich in der ersten Stunde. Sie stellte sich immer wieder die Szene vor, wie Frau Lutz sie vor der ganzen Klasse fertig machen und sie dann zum Direktor schicken würde.

Vielleicht wäre es sogar besser, gleich von selbst zum Direktor zu gehen. Sie dachte auch daran, eine Geschichte zu erfinden. Dass sie wirklich krank gewesen sei und in dem Café eine Aspirin genommen habe. Aber warum dort in der Altstadt? Nun, weil sie vorher beim Arzt gewesen war. Bei welchem Arzt? Hanna gab auf. Lügen hatte keinen Sinn.

Und wenn, überlegte sie in ihrer Verzweiflung, Frau Lutz sie gar nicht erkannt hatte? Wenn sie Hanna gar nicht bemerkt hatte und aus einem anderen Grund wieder gegangen war? Weil ihr das Café nicht gefallen hatte, oder weil es keinen freien Tisch gab?

Völlig absurd! Frau Lutz hatte ihr tief in die Augen gesehen

und war dann rausgegangen, weil sie keine Szene machen wollte. Und natürlich konnte sie auch nicht in einem Café bleiben,
in dem eine Blaumacherin saß. So einfach war das.

Am nächsten Morgen fühlte sich Hanna völlig zerschlagen.
Kein Wunder, sie hatte die ganze Nacht kaum geschlafen und
sich immer wieder die schlimmsten Szenarien ausgemalt.
Einen Moment dachte sie daran, nicht in die Schule zu fahren.
Im Bett liegen bleiben, die Decke über den Kopf ziehen und
einfach nicht da sein. Ihre Mutter würde glauben, dass sie
krank war. Aber sie wusste, dass das keine Lösung war. Sie
musste die Sache hinter sich bringen. Jetzt sofort, egal wie.
Flucht nach vorne. Sie stand auf und zog sich an, holte ihr
Fahrrad aus der Garage und fuhr los. Wie eine Verbrecherin
fühlte sie sich, eine Verbrecherin auf dem Weg zur Verurteilung.
Sie stellte ihr Fahrrad auf den Parkplatz. Wie jeden Morgen
strömten die Schülermassen auf das Schultor zu. Hanna ließ
sich mittreiben. In der Eingangshalle stand der Direktor mit
verschränkten Armen. Vielleicht weiß er schon Bescheid, schoss
es Hanna durch den Kopf, gleich ruft er mich und führt mich
in sein Büro.
„Sagen Sie mal, Frau Schopf, ... und sehen Sie mich an, wenn
ich mit Ihnen rede ..."
Nein, dachte Hanna, ich werde nichts sagen, kein Wort und ich
werde ihn auch nicht ansehen, nicht eine Sekunde ...
Es passierte aber nichts, der Direktor bemerkte sie nicht einmal. Hanna ging erleichtert weiter. Sie sah sich um. Wo war
Tina? Normalerweise trafen sie sich hier in der Halle und
quatschten noch ein bisschen. Aber von Tina war nichts zu
sehen. Hanna hätte ihr so gerne alles erzählt, damit sie
wenigstens noch eine Komplizin hatte, bevor der Ärger losging.
Hanna stieg die Treppe hinauf. Die Abiturklassen waren im

vierten Stock, die Stufen nahmen kein Ende. Oben schnaufte
sie tief durch und ging dann langsam den Gang entlang auf das
Klassenzimmer zu.
Ein paar Mitschüler standen im Kreis vor der Tür, unterhielten
sich und lachten laut über irgend welche Witze. Tina war nicht
darunter. Hanna schlich an ihnen vorbei ins Klassenzimmer
hinein. In diesem Moment schrillte die Glocke aus den
Lautsprechern.
Tina saß ganz hinten, zum Glück. Sie sah auf und begrüßte
Hanna mit einem Lächeln. Guter Laune wie immer, dachte
Hanna, kein Wunder, Mathe machte ihr Spaß und sie kapierte
alles. Außerdem war sie gestern nicht der Lutz im Café begeg-
net.
Sie setzte sich zu Tina, holte tief Luft, um ihr noch ganz schnell
die Geschichte zu erzählen, während die anderen schon herein-
kamen.
Aber noch bevor Hanna ein Wort sagen konnte, betrat Frau
Lutz den Raum.
Sie ging ans Pult vor, stellte ihre schwere Tasche darauf und
holte einige Bücher und Hefte heraus. Dann drehte sie sich zu
den Schülern. Ihr Blick ging durch die Reihen, fiel auf Hanna
und verfinsterte sich. Genau wie im Café. Hanna hielt den
Atem an. Jetzt bin ich dran, dachte sie, keine Chance. Sie starrte
auf den Boden und erwartete das Donnerwetter.
„Ich frage heute mal niemanden aus", hörte sie Frau Lutz sagen,
„ich schreibe eine Aufgabe an die Tafel und wir wiederholen
zusammen. Wenn jemand Fragen hat, dann können wir das
jetzt klären. Zum letzten Mal. Schreiben Sie bitte alle mit."
Hanna sah erleichtert auf. Dann kam der Ärger also erst am
Ende der Stunde. Und vielleicht nur unter vier Augen, wenn sie
Glück hatte.
„Nanu", flüsterte Tina, „die ist aber freundlich heute, was ist

denn mit der los?"

„Keine Ahnung", sagte Hanna leise, „was habt ihr denn gestern gemacht?"

Tina sah sie erstaunt von der Seite an.

„Gestern? Wieso gestern?"

„Mensch", zischte Hanna, „tu nicht so. Du wirst ja wohl gemerkt haben, dass ich in der Pause abgehauen bin."

Plötzlich grinste Tina.

„Ach so, du wolltest gestern blau machen?"

„Was heißt 'ich wollte'?", erwiderte Hanna ärgerlich, „ich hatte einfach keine Lust und dann bin ich ..."

„Du hast aber nicht blau gemacht", unterbrach sie Tina, „wir hatten nämlich gar kein Mathe. Mathe ist ausgefallen. Deshalb."

„Was?", Hanna verstand gar nichts mehr. „Ausgefallen? Wieso ausgefallen?"

„Weil sie krank war. Die Lutz war krank, ganz einfach."

„Krank? Wieso denn krank?"

Tina zuckte mit den Schultern.

„Mein Gott, warum soll die Lutz nicht auch mal krank sein? Sie ist doch auch nur ein Mensch, oder?"

Der Gast

Nachbarn helfen sich. Das kennt man ja.

Sie haben Kaffeepulver, wenn am Sonntagmorgen der Kaffee alle ist, sie haben einen Staubsauger, wenn der eigene kaputt ist und sie haben noch einen Schlüssel, wenn man seinen wieder einmal in der Wohnung vergessen hat. Und wenn man Glück hat, können sie auch noch Wasserhähne reparieren und Videorecorder programmieren. Dafür legt man ihnen die gelesene Zeitung vor die Tür, hilft beim Streichen und nimmt sie zum Supermarkt mit, wenn man mit dem Auto hinfährt.

Das klingt sehr harmonisch, aber natürlich gibt es auch andere Nachbarn. Nachbarn, die nerven.

Manche nerven vor allem, wenn sie da sind. Notorische Heimwerker, Schlagermusik-Liebhaber. Das ganze Wochenende dieser furchtbare Lärm. Dazu neugierige Blicke auf dem Flur und übles Gerede hinter dem Rücken.

Andere Nachbarn nerven besonders, wenn sie nicht da sind. Plötzlich klingeln sie, lächeln freundlich und schon muss man vier Wochen lang die Blumen gießen und schlechtgelaunte Katzen füttern. Und vielleicht noch die Post hochtragen und den Anrufbeantworter abhören.

Ich habe da großes Glück. Meine Nachbarn unten sind wunderbar. Ein reizendes Paar. Freundlich, ohne aufdringlich zu sein. Wir pflegen eine lockere, entspannte Freundschaft. Er steht manchmal abends barfuß vor der Tür, mit zwei Bierdosen in der Hand. Dann setzen wir uns gemütlich auf ein halbes Stündchen ans offene Fenster. Und manchmal rufen sie von ihrem Balkon herauf, um mitzuteilen, dass in zwanzig Minuten das Essen fertig ist. Herrlich!

Meine Nachbarn sind auch nicht anstrengend, wenn sie weg

sind. Sie sind nie lange unterwegs.

Diesmal waren es nur fünf Wintertage in Venedig, wegen der Biennale. Zu kurz, um die Pflanzen gießen zu müssen. Sie baten mich nur, manchmal nachzuschauen, ob alles in Ordnung sei und vielleicht ab und zu abends das Licht anzumachen, damit die Wohnung bewohnt aussähe. Ich war natürlich einverstanden, sie sollten sich keine Sorgen machen, sagte ich, ich würde schon aufpassen.

Deshalb hatte ich an diesem Abend ein schlechtes Gewissen. Sie waren schon vier Tage weg. Und ich hatte immer noch nichts gemacht.

Nur am ersten Abend war ich kurz in der Wohnung gewesen, aber nur - um ehrlich zu sein -, weil ich den Staubsauger brauchte.

Die Wohnung meiner Freunde ist riesig. Ein Altbau mit hohen Decken, den man mit Geschmack renoviert hat. Auch die Form ist sehr originell. Zuerst ein Korridor mit Küche und Bad und dann eine Reihe von Sälen hintereinander.

Und die Einrichtung! Die Besitzer, die hier lange gewohnt haben, sind Künstler, sie Tänzerin, er Fotograf, zur Zeit auf Weltreise. Die Räume sind voll von Fotos und Bildern, es gibt afrikanische Skulpturen, asiatische Masken, indischen Schmuck. Eine Galerie der Kulturen, ein Traum von einer Wohnung.

Als ich den Staubsauger holte, waren die Nachbarn offenbar noch nicht lange weg. Zwei Weingläser standen auf dem Küchentisch, in der Ecke lag eine leere Reisetasche.

Sie waren gerade erst abgereist, und schon hatte sich die Wohnung verwandelt. Wo man sonst in helle freundliche Räume trat, vom Lächeln der Gastgeber empfangen, mit Musik erfüllt, stolperte ich diesmal in stille Finsternis.

Das Licht in der Küche hatte ich noch gefunden, aber der Korridor blieb dunkel. Also tastete ich mich in den ersten Salon. Im fahlen Schein der Straßenlampen warfen die Figuren auf dem Fensterbrett die seltsamsten Schatten an die Wand. Für einen Moment sah ich ein riesiges Kamel über dem Sofa, schwankend, denn es war windig draußen, die Laternen über der Straße bewegten sich. Endlich fand ich einen Schalter, die Schatten verschwanden, und so leuchtete ich mich von Raum zu Raum, bis ich den Staubsauger endlich gefunden hatte.

Vielleicht war es dieser gespenstische Gang durch die unheimliche Wohnung, weshalb ich die nächsten drei Tage meine nachbarlichen Pflichten vernachlässigte.

An diesem vierten Abend jedenfalls, als ich von der Arbeit nach Hause ging, fiel mir mein Versprechen wieder ein und ich beschloss, auf dem Weg in meine Wohnung bei den Nachbarn Licht zu machen und es später wieder zu löschen.

Ich dachte wieder schaudernd an die dunklen Räume, aber ich beruhigte mich, ich musste ja nicht alles erleuchten, die Küche war eigentlich genug. Licht an und dann schnell wieder raus.

Aber es geschah etwas ganz anderes. Ich bemerkte es schon auf der Straße, sonst wäre ich oben vielleicht noch mehr erschrocken.

Licht. Licht in der dritten Etage. In einem der hinteren Zimmer. Ich zählte die Stockwerke. Nein, keine Verwechslung. Licht in der Wohnung meiner Nachbarn.

Sie sind schon zurück, dachte ich. Vier Tage statt fünf Tage. Schlechtes Wetter. Aber in Italien war kein schlechtes Wetter. Und sie waren auch nicht wegen der Sonne dort.

Ein Streit? Aber sie stritten nie. Oder doch?

Vergiss es, dachte ich, sie hätten mich angerufen.

Oben immer noch Licht.

Eine andere Möglichkeit: Ich hatte vor drei Tagen, bepackt mit Staubsauger und Zubehör, nicht alle Lichter gelöscht. Seitdem brannten sie. Keine schlechte Lösung. Dann hätte ich auch meine Pflichten erfüllt. Ich musste nur noch das Licht löschen und mein Auftrag wäre für diesmal erledigt.

Ich sperrte die Haustür auf und stieg die Treppe hinauf. Kein Lift jetzt, ich brauchte noch Zeit, Zeit zum Nachdenken.

Warum war mir das Licht nicht früher aufgefallen? Seltsam. Als ich oben ankam, war ich trotzdem fast überzeugt.

Bis ich den Lichtstrahl unter der Tür sah. Der musste aus der Küche kommen.

Ein Licht vergessen, irgendwo in den hinteren Räumen, das konnte sein. Aber Küchenlicht, das in den Flur fällt? Unmöglich. Das hätte ich doch bemerkt, als ich aus der Wohnung ging.

Oder war ich da wirklich leicht panisch gewesen? Aus der Wohnung gerannt, ohne mich umzudrehen, verfolgt von einem riesigen schwankenden Kamel?

Licht unter der Tür.

Oder waren sie doch zurück? Wegen der Arbeit vielleicht. Ein neuer Auftrag oder so etwas.

Komm herein, hörte ich Tim schon sagen, wir sind ein bisschen früher zurück. Die liebe Arbeit. Wir wollten noch anrufen, aber dann, das Handy hat nicht ... und die Telefonzellen in Italien, du weißt ja, und schönen Dank auch für die Wohnung.

Nichts zu danken, schon in Ordnung, war doch klar ...

Ich holte den Schlüssel aus der Tasche und sperrte die Tür auf.

Der Flur, erleuchtet durch das Licht aus der Küche.

„Hallo?", fragte ich zögernd. „Seid ihr da?"

Ich sprach leise, als wollte ich niemanden erschrecken. Vor

allem mich selbst nicht.

Keine Antwort. Also doch kein Auftrag. Also doch die Lösung mit dem vergessenen Licht. Auch recht. Ich sah in die Küche, immer noch die zwei Gläser auf dem Tisch, die Reisetasche auf dem Boden. Alles in Ordnung, dachte ich. In diesem Moment hörte ich Schritte.

Die Nachbarwohnung, versuchte ich mir einzureden. Aber dafür waren die Schritte zu deutlich. Gleich nebenan, im ersten Salon.

„Hallo, ich wusste nicht, dass ihr schon zurück seid, ich wollte nur …"

„Tim und Barbara sind noch nicht zurück", sagte eine Gestalt am anderen Ende des Flures.

„Aber …", ich blieb in der Küchentür stehen, bewegungslos, fassungslos.

Die Gestalt kam auf mich zu, immer noch dunkel, bis sie endlich ins Licht aus der Küche tauchte. Ein junger Mann, der mir freundlich lächelnd die Hand entgegenstreckte.

„Hallo, ich bin Fabio. Und du musst der Nachbar sein. Tim hat dir ja sicher Bescheid gesagt."

Ich nahm die Hand, automatisch, beruhigt von den Worten ,Nachbar', ,Tim', ,Bescheid'.

„Nein", flüsterte ich, „ich weiß überhaupt nichts."

„Was? Hat er dich heute Vormittag nicht angerufen?"

„Nein", sagte ich und fügte dann hinzu: „Ich war allerdings nur bis elf Uhr zu Hause. Und meinen Anrufbeantworter oben habe ich noch nicht abgehört."

„Ach so, deshalb", sagte der Typ, „dann musst du ja eben schön erschrocken sein."

„Allerdings", grinste ich verlegen, als ob ich mich für etwas schämen müsste.

„Tut mir echt leid", sagte er, „ist alles meine Schuld."

Er ging an mir vorbei in die Küche.

„Komm, setz dich, hast du einen Augenblick Zeit?"

Ich nickte, stellte meine Tasche an die Wand und ließ mich auf einen der Stühle fallen.

Der Typ ging zum Kühlschrank, holte eine Flasche Weißwein heraus und entkorkte sie. Dann sah er sich kurz um, nahm schließlich die beiden Gläser vom Tisch, spülte sie unter dem Wasserhahn und schenkte ein.

„Die Geschichte ist ganz einfach. Tim und ich sind alte Freunde. Noch vom Studium. Fast wie Brüder. Und heute früh bin ich am Bahnhof angekommen und habe ihn gleich angerufen. Sollte eine Überraschung sein. Ich habe mich so auf die beiden gefreut. Da hat er mir gesagt, dass sie gar nicht da seien, unterwegs. Wo eigentlich?", unterbrach er sich einen Moment. „In Venedig."

„Ach ja, genau, Venedig, hat er ja gesagt. Na ja, jedenfalls hat er mir angeboten, hierher zu kommen, damit ich wenigstens kein Hotel suchen müsste. Er hat mir das mit dem Schlüssel erklärt. Wahnsinnig nett, wie immer, so ist er eben. Total schade, dass sie nicht da sind."

„Klar", sagte ich.

Er holte eine Schachtel Zigaretten aus der Tasche, öffnete sie mit dem Zeigefinger und hielt sie mir hin. Mein Blick fiel kurz auf das Kamel auf der Packung, ich schüttelte den Kopf, ich hatte im Moment keine Lust zu rauchen.

„Na ja, und er hat natürlich von dir gesprochen", fuhr der Gast fort, „er wollte dich sofort anrufen, darauf habe ich mich natürlich verlassen. ‚Trink mit ihm ein Glas', hat er noch gesagt. Mensch, und jetzt jage ich dir so einen Schrecken ein!"

„Schon gut", sagte ich, „ich bin ja froh, dass sich das Rätsel so gelöst hat. Die Erklärungen, die mir draußen eingefallen sind, als ich plötzlich das Licht sah, waren nicht so toll."

„Kann ich mir vorstellen. Na dann, Prost!"
Wir unterhielten uns eine ganze Weile. Die beiden hatten
zusammen studiert, auch er war Grafiker. Er war wegen einer
Ausstellung hier. Er stammte aus Hamburg, wohnte aber schon
seit vielen Jahren in London. Er war wirklich nett, erkundigte
sich auch nach mir, also erzählte ich, irgendwann plauderten
wir wie alte Bekannte. Am Ende erklärte ich ihm noch ein paar
Eigenheiten der Wohnung, vor allem das mit der Heizung und
dem Wasserboiler.
Dann verabschiedeten wir uns, er wollte morgen früh schon
wieder weiter. Und wenn ich mal nach London käme, Tim
hätte ja seine Adresse. Ich stieg die Treppe hinauf, vom Wein
leicht benommen und schüttelte nur den Kopf darüber, auf
welch freundliche Art und Weise diese Geschichte also zu Ende
gegangen war.
Aber die Geschichte war noch nicht zu Ende.
Zurück in meiner Wohnung war ich gespannt, wie Tim seinen
Freund auf dem Anrufbeantworter angekündigt hatte. Ich hörte
die Nachrichten ab, aber von Tim keine Spur. Also hatte er es
tatsächlich vergessen. Oder er wollte es einfach darauf ankom-
men lassen. Eine Art Scherz, wie im Fernsehen mit der ver-
steckten Kamera.
Wenn es so war, hatten wir den Test bestanden, aber trotzdem
hatte ich dann noch ein Hühnchen mit ihm zu rupfen.
Als ich am nächsten Tag nach Hause kam, brannte oben Licht.
Sie waren also schon zurück. Ich ging hinauf, ließ den Schlüssel
diesmal in der Tasche und klopfte. Tim öffnete und lachte
erfreut.
„Da bist du ja! Komm rein!"
„Alles in Ordnung?", fragte ich.
Er sah mich einen Moment verwundert an.
„Aber klar, wir sind gerade zurückgekommen."

Er grinste.

„Und wir haben dir was Schönes mitgebracht. Weil du hier so fein aufgepasst hast."

„Warum habt ihr mir nichts gesagt?", fragte ich, während er in einer Tasche herumkramte.

„Was gesagt?", fragte Tim zurück.

„Na was wohl? Das mit eurem Freund, mit Fabio!"

Er hörte auf zu kramen.

„Was für ein Fabio?"

Es stellte sich heraus, dass Tim zwar einen Fabio kannte, aber der wohnte weder in London noch hatten sie zusammen studiert. Vor allem aber hatte ihn gestern niemand angerufen, er hatte sein Handy nicht einmal dabei gehabt.

Ich erzählte die Geschichte. Tim und Barbara, die inzwischen aus der Dusche gekommen war, hörten zu, ungläubig die Stirnen runzelnd. Sie hielten alles ganz offensichtlich für ein Schauermärchen. Jedenfalls taten sie so, als wollte ich sie zur Begrüßung auf den Arm nehmen.

Ich zeigte auf die beiden Gläser auf dem Tisch.

„Hier haben wir gesessen und getrunken, mindestens eine Stunde oder zwei."

Barbara winkte ab.

„Aber was redest du da, die Gläser sind doch von uns! Wir haben hier vor der Abfahrt noch auf unsere Reise angestoßen und hatten dann keine Lust mehr, aufzuräumen."

Ich wollte ihnen die leere Flasche zeigen, aber auch das hatte keinen Zweck, neben dem Kühlschrank standen fünf oder sechs davon.

„Außerdem, wie soll der Typ überhaupt hereingekommen sein?", fragte Tim.

„Ich weiß nicht", sagte ich, „er hat irgendwas davon gesagt, dass du ihm am Telefon erklärt hast, wie er an den Schlüssel kommt. Im Büro oder bei anderen Freunden, habe ich gedacht."

Tim schnalzte zurückweisend mit der Zunge.

„Nur du hast den Schlüssel. Und die Eigentümer. Aber die sind auf Reisen."

Er glaubte mir immer noch kein Wort. Barbara war immerhin bereit, nachzuschauen, ob wirklich alles in Ordnung war und nichts fehlte. Aber sie tat so, als ob sie ein Spiel mitspielen würde, als ob man ein Kind beruhigen müsste, nein, unter deinem Bett ist kein Krokodil. Achselzuckend kam sie gleich wieder zurück.

„Der Laptop steht auf dem Tisch. Das wäre doch das erste gewesen, was jemand mitnehmen würde. Und mein Schmuck ist auch da."

Sie hielt einen Moment inne, als ob sie überlegen würde.

„Das einzige, was mir einfällt, ... ich dachte, dass ich auf dem Nachttisch fünfzig Euro liegen lassen habe, die habe ich jetzt nicht mehr gesehen."

„Na also", sagte ich, fast erleichtert.

„Aber ich bin wirklich nicht sicher, ich kann mich auch täuschen. Ist ja auch egal", meinte sie.

Es war nicht egal, fand ich, es war zum Verrücktwerden. Ich wollte etwas finden. Einen sicheren Beweis.

„Da in der Ecke", sagte ich, „da war doch eine Reisetasche ..."

„Da steht immer noch eine Reisetasche", gab Tim befremdet zurück, „die hatten wir in Venedig dabei.„"

„Ja, schon", beharrte ich, „aber gestern lag da noch eine leere Tasche auf dem Boden und jetzt ist sie weg!"

Die beiden sahen sich an. Oder stecken die alle unter einer Decke?, dachte ich einen Moment. Aber dann müsste der Spaß doch irgendwann zu Ende sein.

„Schon möglich", sagte Barbara ungeduldig, „aber ich habe vorhin schon ein bisschen aufgeräumt, wir haben ja so viele Sachen mitgebracht. Und von diesen Taschen haben wir mehrere."

Die Schachtel fiel mir ein. Die Schachtel mit dem Kamel. Er hatte sie zerknüllt, als sie leer war. Und Tim und Barbara rauchten eine andere Marke. Unter der Spüle stand der Karton mit dem Altpapier.

„Lass endlich gut sein", sagte Tim freundlich, aber bestimmt, als ich den Karton zu meinem Stuhl ziehen wollte, „alles ist in bester Ordnung und wir trinken jetzt ein schönes Gläschen Trebbiano. Wir haben extra ein paar Flaschen für dich mitgebracht. Und ein großes Stück Pecorino und Parmesan. Was wollen wir mehr?"

Schließlich ließ ich von der Papierkiste ab. Die beiden begannen, von Venedig zu erzählen, holten dicke Kataloge heraus und zeigten mir Bilder von der Biennale. Gemälde, Skulpturen, Installationen. Dazu ihre Erlebnisse und Beobachtungen. Und Wein und Käse und italienische Musik.

Von meiner Geschichte haben wir nie wieder gesprochen. Als ob ich nur einen Spaß gemacht hätte. Ich träume manchmal davon. Eine grinsende Gestalt, die sich von mir den Wasserboiler erklären lässt und sich dann eine riesige Tasche mit 50-Euro-Scheinen vollstopft.

Im Grunde warte ich immer noch darauf, dass irgend etwas passiert: auf ein Schulterklopfen. Dass alles doch nur ein Scherz war. Und Fabio ein guter Freund. Oder auf einen Anruf, der alles klärt. Oder dass unten doch etwas fehlt, ein Sparbuch, eine Halskette, Unterlagen der Agentur.

Aber nichts. Die beiden scheinen die Sache längst vergessen zu haben.

Inzwischen hat Barbara auch ihre Fotos von Venedig entwickelt und die besten zu Postern vergrößern lassen. Eines davon hängt jetzt in ihrer Küche, ein Kanal in Venedig. Aus dem Wasser ragt eine Karawane von Kamelköpfen, die sich im Gegenlicht am Horizont verliert.

Als ich unsterblich war

Jetzt, sagte der alte Mann, da es zu Ende geht, muss ich euch noch etwas anvertrauen. Ich habe lange gewartet, aber nie war der richtige Augenblick. Es konnte nicht der richtige Augenblick sein. Manchmal war ich versucht, es trotzdem zu erzählen. In einem jener helleren Momente des Lebens: Freunden am Ende eines Festes, Unbekannten auf einer Reise oder einer Frau nach einer Liebesnacht. Aber ich tat es nicht. Jetzt endlich weiß ich, dass ich sterbe. Ich bin froh darüber, ich habe lange darauf gewartet. Wie lange, das könnt ihr euch nicht vorstellen. Und jetzt kann ich euch auch meine Geschichte erzählen.

Der Alte richtete sich im Bett ein wenig auf und versuchte, in dem schwachen Licht einzelne Gesichter zu erkennen. Wahrscheinlich waren alle da, seine Familie, seine Freunde.

Ich wollte euch sagen, dass ich unsterblich war.

Ihr werdet das nicht glauben, ihr werdet das für wirres Zeug halten, für die letzten Fantasien eines sterbenden Greises. Aber so ist es: Ich war unsterblich. Wie es dazu gekommen ist, das kann und will ich euch nicht erzählen. Das wird mein Geheimnis bleiben.

Nur so viel: Es war am Ende meines ersten Lebens, ich war etwa so alt wie jetzt und spürte, wie meine Kräfte langsam schwanden. Aber ich wollte noch nicht sterben. Die Welt war immer noch so schön und es gab noch so viel zu tun. Ich dachte an die Dinge, die ich versäumt hatte, an die Menschen, die ich wiedersehen wollte. Kurz: Ich hing an der Welt, und nun sollte alles aus sein.

Da lernte ich das Ritual kennen. Das Ritual, das mich unsterblich machen konnte. Zuerst war ich vorsichtig, ich wollte den

Preis wissen. Aber es gab keinen Preis, es kostete nichts. Ich hatte nichts zu verlieren. Also versuchte ich es.
Es ist ganz einfach. Nicht viel mehr als eine Geste, fast wie ein Fingerschnippen. Ein Schnippen, und plötzlich darf man wieder von vorne anfangen.

Kein Mensch kann sich vorstellen, wie das ist: wieder Kind sein. Das Dorf, die Eltern, die Geschwister, Kinderfreunde. Diese fernen Wesen auf den vergilbten Fotos, plötzlich sind sie wieder Menschen aus Fleisch und Blut in einer vertrauten kleinen Welt.
Und doch, schneller als ich dachte, wurden aus diesen goldenen Erinnerungen graue Tage. Kein Wunder, unsere Erinnerungen sind Bilder von bestimmten Momenten, aber zwischen diesen Bildern liegt die ganze Länge der Zeit. Endlose Vormittage in der Schule, öde verregnete Nachmittage am Fenster, lange Wochen krank im Bett.
Ich wurde ungeduldig. Ungeduldig vor dieser unerbittlichen Dauer der Zeit. Das war schon bei der ersten Rückkehr so, was soll ich euch also sagen, von der zweiten, von der dritten? Ich wusste um mein Glück, aber ich war nicht glücklich. Und doch konnte ich nicht klagen. Alles war besser, als plötzlich nicht mehr da zu sein.

Schließlich fand ich eine Lösung. Ich lernte, das Ritual zu variieren. Ich musste nicht mehr ganz zurück, vom hohen Alter bis in die Kindheit. Ich lernte, immer nur ein Stück zurückzugehen: ein paar Jahre, Wochen, ja, sogar nur einige Augenblicke. Welch ein Fest! So konnte ich bleiben, in den jungen Jahren der großen Entscheidungen: über Beruf, Orte, Freundschaften, Liebschaften. Diese Zeit der Chancen, von der man denkt, sie dauert ewig. Doch wie schnell werden dann aus glänzenden

Aussichten für immer verpasste Möglichkeiten?
Ich konnte diese Jahre nun wiederholen, so oft ich wollte. Alle
Leben durfte ich ausprobieren: Ich heiratete früh, ich blieb
Junggeselle. Ich war braver Bürger, ich zog als Vagabund um
diese Welt.
Es war so einfach: Wenn ich meiner Existenz müde war,
schnipp, fing ich noch einmal an, als junger Mann. Ich konnte
nichts mehr falsch machen, ich konnte nichts mehr versäumen.

Bis mich auch dieses Spiel zu langweilen begann.
Wie soll ich sagen? Die fünfte erste Liebe, ist das nicht schon
ein Widerspruch? So unterschiedlich meine Biografien schie-
nen, so virtuos ich auch spielte, irgendwann spürte ich doch
den faden Geschmack der Wiederholung. Ob Bürger oder
Bettler, ich entdeckte überraschende Gemeinsamkeiten. Jedem
knurrt der Magen, jeder hängt an seinen armseligen
Gewohnheiten.
Aber es ist nicht nur das. Als Vagabund sah ich gierig durch die
Fenster der feinen Restaurants, als Geschäftsmann tafelte ich
drinnen, in bester Gesellschaft, und wünschte mir nur, im gleichen Augenblick da draußen alleine durch die Dunkelheit zu
gehen.
Ich wollte nichts versäumen im Leben und wechselte die
Rollen, bis ich langsam begriff, dass es da nicht viel zu versäumen gab.
Ich spürte Wehmut. Oder sollte ich besser sagen: Neid? Ich
weiß, das klingt absurd. Ich hatte alle erdenklichen Existenzen
und beneidete die anderen um ihre einzige.
Sie lebten wenigstens ein Leben, während ich nur viele Spiele
spielte. Spiele, die ich nicht verlieren konnte.
Ich sehnte mich nach diesem vergänglichen Leben. Diese
bemessene Zeit, voller Freuden und Leiden, in der alles wesent-

lich, alles einmalig ist und jede Entscheidung endgültig.
Ein Fehler im Beruf, ein falscher Schritt, und alles kann verloren gehen.
Eine Frau, ein Blick ... ein Zögern und sie wird vorübergehen und für immer verschwunden sein.
Bei mir war aus diesem Reich von Möglichkeiten eine belanglose Spielerei geworden. Wo ich nicht scheitern konnte, was gab es da zu erobern? Kein Wunder also, dass ich dieser Spiele satt wurde. Ewige Maskeraden, ein endloser Karneval, ohne Erwachen.
Schließlich tat ich gar nichts mehr. Es lohnte sich nicht. Ich blieb liegen, in der Sonne, ein Leben lang, und schnipp, noch eins und noch eins.
Warum heute etwas tun, warum nicht morgen oder übermorgen oder in hundert Jahren? Warum heute? Es gab keinen Grund, ich hatte ja grenzenlos Zeit.
Ewige Jugend vor ewiger Sonne. Vielleicht muss man sich so die Hölle vorstellen.

Immerhin, mir blieb eine Lösung. Ein Weg, um noch einmal das Leben zu schmecken: Wenn es zum letzten Mal war.
Noch einmal sollte der Sand rieseln, aber ich würde am Ende die Uhr nicht mehr umdrehen. Ich beschloss, am Ende auf das Ritual zu verzichten. Ein unglaublicher Preis, denkt man, und doch hatte ich nichts mehr zu verlieren.

Ich muss euch von diesem Leben nicht sprechen, ihr wart selbst dabei. Ein Leben mit Höhen und Tiefen, mit Glücksmomenten und Stunden der Verzweiflung, voller Versäumnisse, aber ein richtiges, ein gelebtes Leben. Ich kann zufrieden sein.
Ich gebe zu, die Versuchung war manchmal groß, noch einmal zu schnippen, vor allem in diesen Tagen, da ich den Tod so

nahe spüre. Aber was hätte dieses Leben dann bedeutet?

Der Alte blickte auf.
Jetzt aber weiß ich, dass ich zu schwach bin, das Ritual zu vollziehen. Ich kann sicher sein, dass ich sterben werde und somit alles seinen Sinn bekommt. So konnte ich euch endlich alles erzählen. Versteht ihr jetzt, warum dies für mich ein wunderbarer Augenblick ist?
Er schloss die Augen wieder, sein Kopf sank auf das Kissen zurück.
Ich bin müde, das Erzählen hat mich angestrengt. Ich will ein wenig ausruhen, lasst mich allein.
Leise hörte er Stühle rücken, ernste, undeutliche Stimmen entfernten sich. Jetzt ist alles gut, dachte er. Bilder aus all seinen Leben zogen an ihm vorbei. Die Bilder, von denen er vorhin gesprochen hatte.
Irgendwann hörte er Schritte näher kommen, leise, ganz leise.
Das muss der Tod sein, dachte er, ohne die Augen zu öffnen.
Jemand beugte sich über ihn, aber kein eisiger Hauch, nur warmer Kinderatem. Er schlug die Augen auf, einen Moment lang meinte er, in sein eigenes Kindergesicht zu blicken. Er runzelte die Stirn, die Augen fielen ihm wieder zu.
Dann ist es immer noch nicht aus, dachte er.
Ich bin es, sagte eine kindliche Stimme.
Ach so, dachte der Alte, es ist mein Enkel, der mir von allen der Liebste ist.
Großvater, ist das wirklich wahr, was du uns vorhin erzählt hast?
Der Alte versuchte zu nicken.
Ja, es ist wahr, flüsterte er, warum sollte ich so etwas erfinden?
Er wartete, aber es kam keine Antwort, nur das gleichmäßige Kinderatmen.

Dann, von fern schon, wieder die Stimme.
Damit wir nicht so traurig sind, Großvater und weil du, ... weil
du immer noch Angst vor dem Tod hast.

Viel besser als ein Nachwort: ein Gedicht

Das Lied vom Maulwurf

Ein Maulwurf kommt gekrochen
aus seinem tiefen Bau,
Frühlingsduft gerochen,
trifft er einen Pfau.

Der Pfau aber erschrickt
aus einem schönen Traum,
da ihn der Maulwurf weckt,
glaubt der Pfau es kaum.

Was bist du schwarz und düster,
welch finsterer Geselle,
mir schwant ein ganz ein wüster,
rück ab von meiner Pelle!

Da spricht der Maulwurf munter,
er solle hören doch,
er grab nur tief darunter
ab und zu ein Loch.

Der Pfau hält das für richtig,
findets aber fad
und macht sich gleich noch wichtig
und schlägt ihm stolz ein Rad.

Der sieht die Farben prächtig
und denkt sich still bedächtig,
dass drunten, wo er wohnt
Pfausein sich nicht lohnt.

Die Blaumacherin

_ Inhalt der Audio-CD: